GWAED AR EI DDWYLO

D0493773

ELGAN PHILIP DAVIES

GWAED AR EI DDWYLO

Gomer

Cyhoeddwyd gyntaf yn 2013 gan
Wasg Gomer, Llandysul, Ceredigion, SA44 4JL.
www.gomer.co.uk

ISBN 978 1 84851 658 9

Dymuna'r cyhoeddwyr gydnabod cymorth
Adrannau Cyngor Llyfrau Cymru.

Argraffwyd a rhwymwyd yng Nghymru gan
Wasg Gomer, Llandysul, Ceredigion.

1

'Mae'r heddlu wedi dod o hyd i gorff dyn yn eich fflat chi ac maen nhw'n meddwl mai ti laddodd e.'

Atseiniodd geiriau Scott ym mhen Dylan.

'Maen nhw'n meddwl mai ti laddodd e.'

'Fi?' meddai Dylan. 'Pam fi? Dwi ddim yn 'i nabod e; dim ond newydd 'i weld e ydw i, ac roedd e eisoes yn farw pan welais i fe. Pam maen nhw'n meddwl mai *fi* laddodd e?'

Ond ddaeth ddim ateb o ochr arall y ffôn...

'Scott?' meddai Dylan. 'Wyt ti 'na?'

...dim byd ond distawrwydd llethol.

'Scott? Scott!' galwodd Dylan, ond yn ofer.

Edrychodd o'i gwmpas. Syllodd yn hurt i fyny ac i lawr y stryd wag fel pe bai'n sylwi am y tro cyntaf ei fod allan yn yr awyr agored. Ond roedd e'n cofio'n llawer rhy dda pam ei fod e'n sefyll yn nhywyllwch y nos ar ei ben ei hun yn un o strydoedd cefn Abertawe.

Llai na hanner awr ynghynt roedd Dylan wedi dychwelyd i'r fflat lle roedd e'n byw gyda'i fam a darganfod corff y dyn yno. A dim ond rhai munudau oedd hi ers i Alistair Strachan o gwmni 3G ei ffonio i ddweud wrtho ei fod wedi cipio'i fam, ac os oedd Dylan am ei gweld hi eto, fe fyddai'n rhaid iddo ddod â rhywbeth i Strachan yn gyfnewid amdani.

Nid aur nac arian, diamwntau na darlun prin, cyffuriau, na hyd yn oed cyfrinachau'r llywodraeth neu gynlluniau rhyw ddyfais chwyldroadol newydd roedd Strachan am i Dylan ei roi iddo. Ond yn hytrach rhywbeth roedd Strachan wedi bod yn chwilio'n hir amdano. Rhywbeth roedd sawl person wedi marw wrth ei amddiffyn a'i rwystro rhag syrthio i'w ddwylo. Rhywbeth roedd Dylan ei hun wedi addo i'w gadw'n ddiogel, sef llyfr.

Ar yr olwg gyntaf, er gwaethaf ei glawr lledr gwyn, edrychai'r llyfr roedd Alistair Strachan yn benderfynol o'i gael yn un digon cyffredin. Ond tu mewn i'r cloriau roedd yna drysor byw ac unigryw. Roedd y llyfr arbennig hwn yn fwy na llyfr a ddôi'n "fyw yn eich dychymyg", fel yr arferai athrawes ysgol gynradd Dylan ei ddweud er mwyn ceisio cael bechgyn ei dosbarth i ddarllen mwy; roedd y llyfr hwn yn wir *yn* dod yn fyw. Fel roedd Dylan ei hun wedi ei brofi.

Torrodd sŵn car ar draws synfyfyrio Dylan ac eiliad yn ddiweddarach fe ddaeth i'r golwg ym mhen pella'r stryd. Golchodd ei olau ar draws y ffordd a chiliodd Dylan yn ôl yn ddyfnach i gysgodion yr adeiladau mewn ymgais i guddio. Ond cyn i'r car ei gyrraedd trodd i mewn i stryd arall, ac wrth iddo glywed ei sŵn yn pellhau a diflannu, sylweddolodd Dylan ei fod e'n wir ar ei ben ei hun.

Prin chwe awr yn gynharach roedd Dylan wedi bod yng nghwmni ei dad yn mwynhau siarad am yr Elyrch a'r Gweilch, timau pêl-droed a rygbi'r ddinas. Roedd ymweliad ei dad wedi bod yn annisgwyl, yn enwedig ar ôl iddo ddweud ar y funud olaf na fyddai'n dod adref o'r Almaen ar gyfer y Nadolig oherwydd galwadau gyda'i waith yn y fyddin. Oherwydd hynny, ac oherwydd amharodrwydd ei fam i newid ei threfniadau i fynd ar wyliau i Sbaen, roedd Dylan wedi mynd at Martin Bowen, hen ffrind i'w dad o'r fyddin, i dreulio'r gwyliau.

A dyna pryd ddechreuodd holl helynt y llyfr.

Doedd Dylan yn gwybod dim am fodolaeth y llyfr nes iddo ddod ar ei draws yn nhŷ Martin Bowen a'i agor. Dyna pryd y cafodd weledigaethau a phrofiadau mwyaf rhyfedd ei fywyd; profiadau a oedd wedi gadael eu hôl arno. Nid oedd Dylan wedi deall fawr ddim o'r hyn roedd e wedi ei weld, ond roedd perffeithrwydd a phrydferthwch y gweledigaethau wedi ei argyhoeddi fod yr hyn roedd e'n ei weld yn y llyfr yn llawer mwy real na'r byd o'i gwmpas.

Ar y pryd roedd e wedi meddwl mai ar hap a damwain roedd e wedi ei ddarganfod. Ond o edrych 'nôl ar bopeth oedd wedi digwydd ers hynny – y pethau drwg a'r pethau da – roedd e wedi dod i dderbyn fod rhyw drefn neu fwriad wedi ei arwain ef at Martin Bowen yn Llanymddyfri, ac at y llyfr, er mwyn ei dynnu ef i mewn i'r holl ddigwyddiadau oedd wedi eu canoli o gwmpas y llyfr.

O fewn munudau iddo ei ddarganfod, roedd dynion 3G, cwmni Alistair Strachan, wedi dod i'r tŷ i chwilio am Martin Bowen. Doedd Dylan ddim wedi hoffi golwg y dynion o gwbwl. Roedd wedi cymryd arno nad oedd yn adnabod Martin Bowen a bod y dynion wedi dod i'r tŷ anghywir. A chan fod Bowen wedi gadael y tŷ y bore hwnnw cyn i Dylan ddeffro doedd ganddo, mewn gwirionedd, mo'r syniad lleiaf ymhle roedd e.

Ond nid oedd hynny wedi bod yn ddigon i gael gwared â Strachan a'i ddynion, a thros y dyddiau nesaf bu'r tŷ dan warchae. Pan ddychwelodd Martin Bowen, llwyddodd y ddau i ddianc, ond parhaodd yr erlid arnyn nhw nes i Dylan gyrraedd Abertawe ac i Bowen gael ei ladd mewn damwain car. Ond ychydig cyn y ddamwain llwyddodd Martin i anfon y llyfr at Dylan, ac fe wyddai ef yn iawn mai ei gyfrifoldeb ef oedd gofalu amdano nawr.

Byddai Dylan wedi hoffi rhannu'r cyfan oedd wedi digwydd iddo gyda'i dad, ond gan mai dim ond pàs diwrnod ar gyfer angladd ei ffrind oedd ganddo ac y byddai'n gorfod dychwelyd i'w ddyletswyddau gyda'r fyddin drannoeth, roedd Dylan wedi gwthio'r cyfan naill ochr fel y gallai'r ddau fwynhau eu hunain. A beth bynnag, doedd e ddim wedi clywed na gweld dim o Alistair Strachan na'i ddynion ers iddo ddychwelyd i Abertawe.

Ond o fewn munudau iddo ffarwelio â'i

dad y diwrnod hwnnw, gwelodd Dylan Jeep Grand Cherokee du, sef hoff gar dynion 3G, yn ei ddilyn. O'r eiliad honno gwyddai'n iawn ei fod mewn perygl unwaith eto wrth iddo geisio dianc am ei fywyd a chadw'r llyfr allan o ddwylo Alistair Strachan.

Credai Dylan eu bod nhw wedi dod o hyd iddo ar ddamwain. Ond pan ddychwelodd i'r fflat y noson honno a darganfod corff y dyn, a gweld bod ei fam wedi diflannu, roedd e'n gwybod bod dylanwad ei elynion yn fawr, tra oedd ef yn ddim mwy na bachgen yn ei arddegau ar ei ben ei hun.

Syllodd ar y ffôn yn ei law.

Pam oedd Scott wedi torri'r alwad? Scott oedd ei ffrind gorau; pwy arall fyddai'n barod i'w helpu? Pwy arall fyddai'n barod i gredu'r cyfan oedd wedi digwydd iddo dros y deg diwrnod diwethaf?

Neb.

Gwasgodd fotwm ei ffôn a goleuodd y sgrîn. Sgroliodd drwy'r tudalennau gan chwilio am ei restr gysylltiadau. Daeth o hyd i rif Scott ac roedd ar fin gwneud yr alwad pan sylweddolodd y byddai Strachan yn siŵr o fod yn monitro'i alwadau.

Dim ond y prynhawn hwnnw roedd ei dad wedi prynu'r ffôn i Dylan, yn lle'r un roedd e wedi ei golli yn y ffrwydrad a ddinistriodd dŷ Martin Bowen pan oedd dynion Strachan yn ceisio'u dal nhw. Ac ers iddo gael y ffôn, dim ond ei fam roedd Dylan wedi'i ffonio. Ond roedd yr un alwad honno wedi bod yn ddigon i Alistair Strachan gael gafael ar ei rif a'i ffonio gan fynnu'r llyfr a bygwth ei fam.

A chyda'r holl adnoddau o ddynion ac offer oedd gan 3G, byddai'r cwmni'n bendant yn monitro Dylan am y pedair awr ar hugain nesaf, sef yr amser roedd Strachan wedi ei roi i Dylan ddod â'r llyfr iddo.

Pedair awr ar hugain!

Nage, meddyliodd, gan syllu ar gloc y ffôn. Am ddeng munud i un ar ddeg roedd Strachan wedi dweud hynny wrtho; roedd hi nawr yn un ar ddeg union – roedd ganddo lai na phedair awr ar hugain bellach.

Caeodd ei law yn dynn am y ffôn, ac am eiliad yn ei rwystredigaeth ystyriodd ei daflu mor bell ag y gallai oddi wrtho. Yna meddyliodd am ei fam. Beth fyddai Strachan yn ei wneud iddi pe na bai Dylan yn ateb ei alwad? Ni allai fentro peryglu ei bywyd.

Llaciodd ei afael ar y ffôn; byddai'n rhaid iddo'i gadw, ond efallai y gallai rwystro ychydig ar Strachan. Diffoddodd ei olau a chadwodd ei fys ar y botwm nes bod y ffôn wedi ei ddiffodd yn llwyr. A fyddai hynny'n ei atal rhag gwybod ymhle roedd e? Roedd Dylan yn amau hynny rywsut, ond wedyn pan nad yw'n bosib gwneud dim byd, mae gwneud unrhyw beth yn rhywbeth.

2

STAT! STAT! STAT!

Tasgodd y cerrig mân yn erbyn y gwydr.

Arhosodd Dylan am ychydig gan wrando'n astud, cyn codi dyrnaid arall o raean o'r llwybr a'u taflu at ffenest yr ystafell wely.

Stat! Stat! Stat! Stat! Stat!

Roedd golau i'w weld ar hyd ymyl ffenest gefn yr ystafell fyw ond roedd ffenestri'r ystafelloedd gwely i gyd yn dywyll.

Plygodd Dylan a chodi dyrnaid arall o gerrig ac roedd ar fin eu taflu pan welodd y llenni'n cael eu tynnu naill ochr.

'Scott!' galwodd Dylan, mor uchel ag y gallai fentro a'i ddwylo o gwmpas ei geg. 'Scott! Fi sy 'ma!'

'Dyl?' meddai Scott, gan agor y ffenest led y pen a phwyso ymlaen i edrych i lawr at ei ffrind.

'Ie,' atebodd Dylan.

'Be ti'n neud fan hyn?'

'Sdim unman arall 'da fi i fynd,' meddai Dylan, gan ollwng y graean o'i law.

'Ond...' meddai Scott, cyn tawelu a throi i edrych y tu ôl iddo.

'Scott!' galwodd Dylan gan gymryd dau gam yn ôl fel y gallai weld y ffenest yn well. Ond roedd hi wedi cau a Scott wedi diflannu.

Symudodd Dylan o gefn y tŷ a sleifio rownd ymyl y sied yng nghornel yr ardd, yn ansicr beth oedd wedi digwydd i Scott ac yn meddwl tybed beth fyddai'n digwydd iddo nesaf y noson ryfedd honno.

Ar ôl iddo sylweddoli na allai fentro defnyddio'i ffôn i gysylltu â Scott, doedd gan Dylan ddim dewis ond gadael canol y ddinas a theithio i gartref ei ffrind. Wrth iddo ddringo i mewn i'r bws olaf roedd e wedi ofni y byddai'r gyrrwr yn gofyn iddo beth oedd e'n ei wneud allan ar ei ben ei hun mor hwyr y nos. Ond wrth iddo dalu am ei docyn doedd y dyn ddim wedi talu'r sylw lleiaf iddo.

Doedd y bws ddim yn mynd yn uniongyrchol i'r stryd lle roedd Scott yn byw a bu'n rhaid i Dylan gerdded y filltir olaf. Ar y ffordd roedd wedi sylwi ar sawl car heddlu yn crwydro'r strydoedd. Er nad oedd e'n gwybod a oedden nhw'n chwilio amdano ef, ni allai fentro gadael iddyn nhw ei weld felly roedd wedi cuddio yng nghysgodion adeiladau neu droi i lawr strydoedd cefn ac aros nes eu bod nhw wedi pasio.

Nid oedd Dylan wedi gweld ôl yr un Jeep Grand Cherokee yn unman. Er bod hynny'n gysur iddo, roedd e wedi sylwi ar gar arall, lliw glas neu wyrdd golau, yn gyrru'n ôl ac ymlaen yn araf ar hyd y strydoedd o gwmpas lle roedd Scott yn byw. Unwaith roedd e wedi deall y gallai Alistair Strachan newid ceir 3G, roedd e wedi cymryd mwy o ofal ac amser i gyrraedd tŷ Scott.

Erbyn iddo gyrraedd roedd Dylan yn amau bod ei ffrind wedi hen fynd i'w wely, a chan na allai ganu cloch y tŷ, taflu cerrig at ffenest ei ystafell wely oedd yr unig ffordd y gallai dynnu ei sylw. Ond nawr, ar ôl iddo lwyddo i wneud hynny, roedd Scott wedi diflannu.

Oedd e wedi troi ei gefn arno? Mynd i ddweud wrth ei rieni, neu beth? Ofnai Dylan y gwaethaf, ond roedd e'n rhy flinedig, oer a gwlyb i wneud dim ond pwyso yn erbyn ochr y sied gan ddisgwyl beth bynnag fyddai'n digwydd nesaf.

Tynnodd ei siaced yn dynnach amdano, ond doedd hynny ddim yn mynd i'w gadw'n gynnes. Roedd treulio bron i noson gyfan allan yn yr awyr agored yn oerfel dechrau mis Ionawr wedi gadael ei ôl arno; ni allai deimlo'i fysedd ac roedd ei draed fel dau dalp o iâ. Teimlai ei stumog yn cwyno o eisiau bwyd ac roedd ei lwnc mor sych â chorcyn; byddai wedi rhoi unrhyw beth am fwg o siocled poeth a darn mawr o...

'Dylan, wyt ti 'na?'

'Wrth gwrs 'mod i,' meddai Dylan yn flin. 'Ti ddiflannodd, ddim fi.'

Daeth Dylan allan o du cefn y sied, ac yng ngolau gwan y lleuad gwelodd Scott yn sefyll ar lwybr yr ardd.

'Ie, wel,' meddai Scott, gan wenu'n ymddiheurol. 'Roedd Mam tu fas i ddrws 'yn stafell i ac allen i ddim mentro iddi 'nghlywed i'n siarad â ti.'

Edrychodd Dylan yn eiddigeddus iawn ar Scott yn ei hwdi sych trwchus.

'Pam?' gofynnodd, gan wneud ei orau i stopio'i ddannedd rhag crynu. 'Ydy hi'n credu mai fi laddodd y dyn?'

'Nagyw,' meddai Scott, gan siglo'i ben. 'Ond lladdodd rhywun e ac yn eich fflat chi ddaeth yr heddlu o hyd iddo.'

'Os nad yw dy fam yn meddwl mai fi nath, pwy mae hi'n meddwl nath 'te, Mam?'

'Na, ond...' dechreuodd Scott, ond pan adawodd y frawddeg ar ei hanner deallodd Dylan yn iawn beth oedd ei fam yn ei feddwl.

'Ti ddim o ddifri, wyt ti?'

'Na, ond...' dechreuodd Scott eto. 'Doedd hi na Dad ddim yn gwybod beth i feddwl pan glywon nhw'r hanes gyntaf ar y newyddion. Ond mae pob adroddiad yn rhoi mwy o fanylion ac mae pethau'n edrych yn ddrwg iawn i ti a dy fam.'

'Wel dyw e ddim yn wir, Scott. Rwyt ti'n ein nabod ni'n well na chredu y byddwn i neu Mam yn lladd rhywun.'

'Ond mae hi wedi diflannu on'd yw hi, ac

mae'n rhaid i ti gyfadde bod hynny'n edrych yn amheus.'

Siglodd Dylan ei ben. 'Na, na, Scott, ti ddim yn deall. Strachan sy wedi ei chymryd hi.'

'Strachan?' ailadroddodd Scott. 'Pwy yw Strachan?'

Ond wrth iddo orffen dweud yr enw gallai Dylan weld o'r olwg ar wyneb ei ffrind ei fod e'n cofio bod Dylan wedi sôn am Strachan o'r blaen.

'Y dyn oedd yn gyfrifol am ladd ffrind dy dad?'

'Ie.'

'O, Dylan, ti ddim yn dal i...'

'Scott, wir i ti, dwi ddim yn dweud celwydd. Mae popeth wedes i wrthot ti ddoe yn wir a dwi'n gwybod mai fe sy wedi mynd â Mam achos fe ddwedodd hynny wrtha i 'i hunan.'

Syllodd Scott ar Dylan, yn crynu'n druenus yn ei ddillad gwlyb.

'Does unman arall 'da ti i fynd, oes e?' gofynnodd.

Siglodd Dylan ei ben.

'Mae'n oer mas fan hyn, on'd yw hi?' meddai Scott pan ddechreuodd ei ddannedd yntau glecian a'r awel oer chwythu o gwmpas ei figyrnau noeth.

'Ti'n dweud wrtha i,' meddai Dylan.

Trodd Scott i edrych dros ei ysgwydd, yn ôl at y tŷ. 'Well i ti ddod mewn.'

'Ond, beth am dy rieni?'

'Bydd Mam siŵr o fod yn chwyrnu'n braf erbyn hyn, a Dad yn gwrando ar gerddoriaeth ar ei iPad a'i glustffonau am ei glustiau.'

'Iawn, diolch,' meddai Dylan. 'Oes gyda chi siocled poeth?'

3

EISTEDDAI'R DDAU wrth fwrdd y gegin. Gwasgai Dylan ei ddwylo o gwmpas y mwg o siocled poeth roedd Scott newydd ei gynhesu yn y ficro-don gan geisio penderfynu ai Kit-Kat arall (ei ail) neu Penguin arall (ei drydydd) fyddai'n ei ddewis nesaf.

Gorweddai ei siaced a'i dreinars ar draws y rheiddiadur roedd Scott wedi ei gynnau ar ôl iddyn nhw ddod i mewn i'r tŷ. Roedd Dylan yn falch o gael tynnu ei ddillad gwlyb a'u gosod i sychu, ond teimlai'n oerach hebddyn nhw. Roedd wedi cydio mewn hen siaced waith roedd mam Scott wedi ei gadael ar gefn un o'r cadeiriau a'i rhoi o gwmpas ei ysgwyddau.

Roedd hi'n braf bod yng nghynhesrwydd diogel cartref Scott, ond fe gymerai fwy na diod boeth a bisgedi siocled i wneud i Dylan deimlo'n iawn ar ôl y cyfan roedd ef wedi ei ddioddef yn ystod y diwrnod hwnnw. A rhwng llowcio'i ddiod a bwyta'i fisgedi roedd wedi bod yn dweud wrth Scott am y cyfan oedd wedi digwydd iddo ers i'r ddau gyfarfod y prynhawn blaenorol ger Sgwâr y Castell – y cyfarfod gyda Geraint Harris, y ddamwain ar y ffordd 'nôl i Abertawe, darganfod corff y dyn yn y fflat, a galwad ffôn Alistair Strachan.

'Ac fe ddethon nhw ar dy ôl di bron yn syth ar ôl i fi adael?' gofynnodd Scott.

'Ddim *bron* yn syth,' meddai Dylan, gan estyn am y Kit-Kat. '*Yn* syth. Wrth i ti droi'r cornel i Stryd Caer daeth y Jeep o'r cyfeiriad arall. Welest ti mohono fe? Jeep Grand Cherokee mawr du?'

Siglodd Scott ei ben. 'Na, dwi ddim yn meddwl.' A chrychodd ei dalcen i ddangos ei fod e'n trio cofio.

'Wel, petawn i'n dy hypnoteiddio di, mae'n siŵr y bydde dy gof yn ei dynnu i fyny o ddyfnderoedd y pethe rwyt ti'n eu gweld ond ddim yn sylwi arnyn nhw.'

'Petait ti'n fy hypnoteiddio i, mae'n siŵr y gallet ti 'nghael i gofio unrhyw beth.'

Peidiodd Dylan â chnoi ac edrych ar ei ffrind. Syllodd Scott i lawr ar y papurau bisgedi ar y bwrdd. Unwaith eto roedd bwlch o anghrediniaeth wedi agor rhwng y ddau. Roedd Dylan eisoes wedi dweud wrth Scott am y llyfr, am farwolaeth Martin Bowen ac am Strachan a'i ddynion yn chwilio amdano er mwyn cael eu gafael ar y llyfr. Ond doedd Scott ddim wedi ei gredu.

I raddau gallai Dylan ddeall anghrediniaeth ei ffrind: doedd pethau fel hynny jyst ddim yn digwydd i fachgen o'i oed ef, ar wahân i mewn ffilmiau a gêmau cyfrifiadur. Ond nid ffilm oedd hyn, ac yn sicr nid gêm. Roedd y cyfan yn real iawn, ac roedd gan Dylan y creithiau corfforol ac emosiynol i brofi hynny. Ond ni allai yn ei fywyd berswadio Scott o hynny – neu felly roedd yn ymddangos.

Cododd Scott ei ben ac edrych ar Dylan. 'Ti'n dweud pe bawn i wedi aros gyda ti funud yn hirach y bydden i wedi'u gweld nhw?'

'Bydde tair eiliad arall wedi bod yn ddigon.'

'A beth fydde wedi digwydd wedyn?'

Gwenodd Dylan. 'Bydde'r ddau ohonon ni wedi gorfod rhedeg nerth ein traed.'

'Ond fydden i ddim wedi rhedeg, fydden i? Fe fyddet ti, falle, ond ddim fi.'

Difrifolodd yr olwg ar wyneb Dylan. 'Na. Fwy na thebyg fyddet ti ddim.'

'A beth fydde wedi digwydd i fi?' gofynnodd Scott eto.

Cododd Dylan ei ysgwyddau ac estyn am bapur Penguin gwag.

'Bydden nhw wedi fy nal i, 'yn bydden nhw? Bydden nhw wedi ein gweld ni gyda'n gilydd, a chan na fydden nhw wedi dy ddal di, fe fydden nhw wedi 'nghipio i.'

Trodd Dylan y papur rhwng ei fysedd.

'A gofyn i *fi* i ble oeddet *ti* wedi mynd. Oni fydden nhw?'

Nodiodd Dylan ei ben. 'Bydden.'

'A fydden nhw ddim wedi gofyn yn *neis*, fydden nhw?'

'Na fydden.'

'A ti'n gwybod hynny fel ffaith, wyt ti?'

'Odw, am 'u bod nhw wedi bod yn gofyn cwestiyne i finne hefyd.'

Bu Scott yn dawel am rai eiliadau, gan edrych ar Dylan yn troi'r papur ac yn clymu clymau ynddo.

'Ocê,' meddai Scott o'r diwedd. 'Mae Strachan ar dy ôl di am fod gyda ti ryw lyfr mae e ei eisie, ac mae e'n barod i ladd pobl i'w gael e. Ydy hynny'n grynhoad iawn o bethe?'

'Ydy,' atebodd Dylan, gan ddal i chwarae â'r papur.

'Ond os yw hynny'n wir, pam nad wyt ti'n mynd at yr heddlu?'

'Alla i ddim,' meddai Dylan. 'Wel, ddim nawr, beth bynnag. Mae Strachan wedi gwneud yn siŵr na alla i fynd at yr heddlu drwy ddweud wrthyn nhw am y dyn yn y fflat a dweud bod gyda fi rywbeth i'w wneud ag e.'

'A'r unig ffordd allai Strachan wybod am y dyn fyddai petai e'n gyfrifol am 'i ladd e. Yntyfe?'

'Yn hollol,' meddai Dylan, gan feddwl efallai fod Scott yn dechrau ei gredu o'r diwedd.

'Does dim llawer o ddewis gyda ti wedyn,

oes e? Os nei di roi'r llyfr i Strachan, fe neith e adael dy fam i fynd ac fe gei dithau lonydd.'

Siglodd Dylan ei ben. 'Dwyt ti ddim yn nabod Strachan. Allith e ddim 'y ngadael i'n fyw i ddweud popeth wrth bawb amdano fe; mai *fe* oedd yn gyfrifol am lofruddio Charles Williams, Martin Bowen a sawl un arall. A beth am y bobl dwi wedi dweud wrthyn nhw am Strachan a 3G? Y bobl helpodd fi i ddianc ddoe? Wyt ti'n meddwl eu bod nhw'n mynd i gael llonydd 'da Strachan? Wyt ti'n meddwl dy fod *ti'n* mynd i gael llonydd?'

'Fi?'

'Mae pob un dwi'n nabod mewn perygl.'

'Ac rwyt ti wedi dod yma. Pam na fyddet ti wedi ffonio? Allet ti fod wedi fy rhybuddio i dros y ffôn.'

'Dwi ddim am ddefnyddio'n ffôn nes bydd Strachan yn fy ffonio i nos yfory. Dwi wedi'i ddiffodd e fel nad yw e'n gallu 'nilyn i. A beth bynnag, dyw dod 'ma ddim yn gwneud unrhyw wahaniaeth; rwyt ti'n ffrind i fi, ac os nad yw Strachan yn gwybod hynny nawr, alli di fentro y bydd e'n gwybod cyn bo hir.'

'Alli di gael hen ffôn 'da fi os wyt ti eisie,

rhag ofn bydd angen un arnat ti cyn ffonio Strachan.'

'Diolch,' meddai Dylan, gan wasgu'r papur yn ei law a'i ollwng ar y bwrdd.

Cododd Scott a mynd â'r ddau fwg i'r sinc, eu glanhau dan y dŵr cynnes cyn eu rhoi yn y peiriant golchi llestri.

'Ond os nad wyt ti'n bwriadu mynd at yr heddlu, beth wyt ti'n mynd i'w neud?' gofynnodd heb edrych ar Dylan.

'Dwi ddim yn gwybod. Os galla i aros 'ma heno, af i i rywle arall yn y bore. Erbyn yr amser yma nos yfory bydd y cyfan drosodd a bydd Mam yn rhydd neu…'

'Alli di aros 'ma heno,' meddai Scott ar ei draws. 'Alli di gysgu ar y llawr yn fy stafell i.'

'Beth am dy rieni? Maen nhw'n gwybod bod yr heddlu'n chwilio amdana i, on'd y'n nhw?'

'Ydyn. Mam alwodd fi i weld dy lun ar y teledu. Byddan nhw'n siŵr o gysgu'n hwyr yfory gan ei bod hi'n dal yn wyliau, ac os dihunwn ni'n gynnar, alli di fynd cyn iddyn nhw godi.'

Nodiodd Dylan yn dawel, ond doedd ganddo ddim syniad i ble y byddai'n mynd.

4

GORWEDDAI DYLAN mewn sach gysgu ar lawr ystafell wely Scott. Roedd y llawr yn galed o dan ei gefn, ond ar ôl holl ruthr y dyddiau diwethaf, doedd Dylan yn poeni dim am hynny. Fe ddylai fod yn ddigon blinedig i gysgu'n ddidrafferth, ond er cymaint roedd angen cwsg arno, ni allai gysgu winc.

Roedd ei feddwl yn hollol effro ac yn troi a throi. A meddyliau am ei fam oedd y rhai a frigai amlaf i wyneb ei isymwybod. Ble allai hi fod? Beth fyddai hi'n meddwl o'r hyn oedd wedi digwydd iddi? Yn cael ei chipio a'i charcharu, ac yn gweld rhywun roedd hi'n ei adnabod yn cael ei lofruddio, a hithau heb y syniad lleiaf pam.

Ceisiodd Dylan droi ar ei ochr er mwyn chwalu'r holl ddarluniau a lanwai ei ben, ond roedd y sach gysgu yn llawer rhy fach iddo ac yn ei atal rhag symud. Cydiodd yng ngheg y sach er mwyn ei thynnu i fyny dros ei ben i gau allan y byd a'i bethau, ond doedd hi ond prin yn cyrraedd ei ysgwyddau.

Dwi'n gwybod 'mod i'n dal am fy oedran, meddai Dylan wrtho'i hun, ond mae'n rhaid bod Scott yn yr ysgol gynradd pan ddefnyddiodd e'r sach yma y tro diwetha.

Rhoddodd y gorau i droi, ond parhau i droi wnâi ei feddyliau gan ddychwelyd at ei fam.

I ble fyddai Strachan yn mynd â hi? gofynnodd iddo'i hun. Cofiodd am yr ystafell fechan oer yn y plasty ar Fannau Brycheiniog lle roedd Strachan wedi ei gaethiwo yntau. Ai dyna lle roedd ei fam? A oedd hithau nawr yn yr un ystafell honno, bron â chyrraedd pen ei thennyn?

Daeth atgofion am y plasty yn fyw i'w feddwl; dynion Strachan yn ei ddal ac yn ei gludo yno mewn Jeep Grand Cherokee du. Ai dyna oedd wedi digwydd i'w fam? Ai pencadlys 3G oedd y plasty? Ond, roedd e ymhell o Abertawe, felly a fydden nhw wedi mynd â hi yno?

Na, meddyliodd. Doedd hynny ddim yn swnio'n ymarferol iawn. Golygai hynny y byddai'n rhaid i Strachan a'i ddynion deithio'n ôl ac ymlaen o Abertawe i'r plasty drwy'r amser. Na, fwy na thebyg roedd 3G yn defnyddio adeiladau gwag oedd yn agos i'r mannau lle roedden nhw'n gweithio. Roedd y plasty'n gyfleus tra oedden nhw'n chwilio am Martin Bowen yn ardal Llanymddyfri, ond nawr, gan eu bod nhw wedi lladd Martin Bowen, a'r llyfr wedi symud i Abertawe, roedd Dylan yn siŵr y byddai Strachan hefyd wedi symud i'r ddinas.

Rhyw swyddfa yn Llundain, neu efallai yng Nghaerdydd, fyddai pencadlys parhaol cwmni 3G, meddyliodd Dylan. Ond roedd yn siŵr fod Strachan, y cyn-filwr, yn dilyn arferiad pob byddin o gael safle agos i faes y gad. A chan mai Abertawe oedd maes y gad, roedd hi'n ddigon rhesymol disgwyl bod gan Strachan rywle cyfleus yno.

Ond ymhle?

Felly, ble y dylai ddechrau chwilio am ei fam, a chyda dim ond pedair awr ar hugain i wneud hynny?

Meddyliodd Dylan am ei dad. Petai e'n dal yn Abertawe, mae'n siŵr y byddai ganddo syniad ble allai Strachan fod. Yn ogystal â bod yn llawer mwy cyfarwydd â'r ddinas, roedd ei dad yn filwr a allai ei roi ei hun yn esgidiau Strachan ac ymresymu lle y byddai'n debygol o fod.

Ond doedd ei dad ddim yno. Roedd ar ei ffordd yn ôl i'r Almaen.

Pum eiliad yn gynharach ac fe fyddai Scott wedi gweld y Jeep; hanner munud yn gynharach ac efallai y byddai ei dad wedi ei gweld hi. Hanner munud, hanner awr? Beth oedd y pwynt meddwl am hynny nawr? Anna ac nid ei dad oedd wedi ei achub pan ddaeth y Jeep ar ei ôl.

Ac wrth iddo ail-fyw'r ras wyllt allan o ganol y ddinas torrodd ton o flinder dros Dylan gan olchi'r lluniau a'r atgofion yn un ribidirês o ddelweddau: ei fam yn y fflat yn chwerthin am rywbeth dibwys, a'i chwerthiniad yn newid i fod yn sgrech wrth iddi weld y dyn yn cael ei ladd; y wên ar wyneb Anna mewn llun ohoni ar ei gwyliau gyda'i rhieni yn rhewi ac yn gwelwi wrth i Dylan ei thynnu hi allan yn ddiymadferth o'i char; a'r Jeep Grand Cherokee du yn trawsnewid yn aderyn gwyn...yn hedfan fry uwch ei ben drwy'r cymylau tywyll gan dorri llwybr arian ar draws awyr ddu'r nos.

Er bod gafael cwsg yn tynhau amdano, ac yntau'n anadlu'n drymach ac yn ddyfnach bob eiliad, roedd isymwybod Dylan yn dal yn ddigon effro iddo sylweddoli beth oedd yn digwydd yn y freuddwyd.

Gwelai'r aderyn gwyn yn codi'n uwch ac yn uwch yn yr awyr. Ac fel y tro cyntaf i Dylan ei weld, rhyfeddai pa mor llyfn a gosgeiddig oedd ei symudiadau. Teimlai ei anadl yn dal yn ei wddf, a'i galon yn cryfhau ac yn codi wrth iddo'i wylio.

Ond roedd y cyfan yn fwy na sioe i Dylan ei mwynhau. Roedd pob symudiad gan yr aderyn yn un pendant a bwriadol. Roedd pob curiad o godi a disgyn ei adenydd cadarn yn hollti'r tywyllwch fel llafn finiog cyllell yn torri drwy len o felfed du. Ac wrth i'w adenydd rwygo'r tywyllwch, llifai pelydrau'r haul drwy'r toriadau gan adael rhwygiadau'r tywyllwch i hofran fel hen faneri budr.

Yr aderyn gwyn oedd yr unig beth gwir a glân yn y freuddwyd. Safai allan yn erbyn y tywyllwch fel golau llachar yn y nos, fel perl yng nghanol glo, yn union fel roedd clawr lledr gwyn y llyfr wedi sefyll allan yng nghanol yr holl lyfrau eraill yn nhŷ Martin Bowen ac wedi tynnu Dylan ato. Ac yn union fel roedd tywyllwch dudew yr awyr am gaethiwo'r aderyn gwyn, sylweddolodd Dylan pam roedd Alistair Strachan am ddwyn y llyfr. Doedd e ddim am i'w olau perffaith ddangos tywyllwch ei gelwyddau ef.

Roedd Martin Bowen wedi dweud wrth Dylan sut roedd cwmni 3G yn rheoli'r cyn-filwyr drwy gelwyddau, ac roedd Dylan yn gweld nawr fod Strachan hefyd am reoli pawb arall yn yr un ffordd. Ond tra oedd y llyfr ar gael allai e ddim. Roedd hwnnw'n atgof parhaol o sut roedd pethau cyn iddyn nhw gael eu llygru. A llygru popeth roedd Strachan a'r bobl oedd yn ei gyflogi e am ei wneud.

Syllodd Dylan ar yr aderyn gwyn wrth iddo hedfan drwy'r awyr, a stribedi du blêr y rhwygiadau y tu ôl iddo yn chwythu yn erbyn ei gilydd ac yn clymu yn ei gilydd, yn gweu trwy ei gilydd, yn asio wrth ei gilydd. Ac er mai du oedd eu lliwiau gwreiddiol, unwaith roedden nhw'n cyffwrdd â'i gilydd roedd eu lliwiau'n newid i fod yn las tywyll, yn borffor tywyll, yn goch tywyll, yn ogystal â du.

Cynyddodd crynu'r rhwygiadau nes eu bod yn cael eu chwipio'n wyllt fel baneri mewn storm. Craciai'r stribedi gan atsain o'u cwmpas, yn uchel fel taran fel y gallai Dylan ei glywed.

CRAC! CRAC!

Cododd Dylan ei ddwylo i'w glustiau wrth i gysur ei freuddwydion unwaith eto droi'n fygythiad.

5

'UNRHYW BETH?' galwodd Rebecca Groves uwchben swn y dynion yn cerdded i mewn ac allan o'r adeilad yn llwythog gan offer cyfrifiadurol.

'Na, dim byd eto,' meddai Alistair Strachan, gan gamu o'r landin i mewn i un o'r ystafelloedd allan o'r ffordd tra roedd pethau'n cael eu rhoi mewn trefn.

Dilynodd Rebecca Groves ef, gan dynnu ei llaw ar draws sgrîn ei iPad.

'Beth am yr heddlu?' gofynnodd.

'Maen nhw wedi cytuno i fynd i gartref ei ffrind rhag ofn ei fod e wedi mynd yno.'

'Hen bryd. Fe ddylen nhw fod wedi mynd yno oriau 'nôl.'

'Fe gymerodd hi dipyn i'w perswadio nhw i fynd yno nawr,' meddai Strachan, gan astudio'r map o'r ddinas oedd ar sgrîn y cyfrifiadur ar y ddesg. Roedd y map wedi ei chwyddo er mwyn canolbwyntio ar y strydoedd o gwmpas cartref Scott. 'Doedden nhw ddim yn hapus iawn, yn enwedig gan nad oedd ganddyn nhw ddim byd i gysylltu'r ffrind â'r dyn yn y fflat.'

'Wel wrth gwrs, *does* ganddyn nhw ddim byd i'w gysylltu e â'r dyn yn y fflat, ond nid dyna'r pwynt. Cadw'r pwysau ar y bachgen yw'r pwynt; peidio rhoi eiliad iddo feddwl am ddim ond ei fam a'r llyfr. Gydag e mae'r llyfr ac rwy'n benderfynol o gael gafael arno.'

Dychwelodd Rebecca Groves i astudio'r iPad am ychydig cyn gofyn, 'Pwy fydd yn cadw llygad ar yr heddlu?'

'Burley.'

'A...?' gofynnodd yn ddisgwylgar.

'Ac fe fydd e'n cysylltu â ni pan fydd gydag e unrhyw newyddion.'

'Os nad yw'r bachgen eisoes wedi cysylltu â'i ffrind, fydd hi ddim yn hir cyn iddo wneud,' meddai Groves, gan gau clawr yr iPad, edrych ar ei horiawr a mynd i eistedd yn un o'r cadeiriau esmwyth.

Suddodd calon Alistair Strachan. Mae'n mynd i aros, meddyliodd, gan ochneidio. Roedd e wedi gobeithio mai dim ond dod yno i'w gweld nhw'n sefydlu'r pencadlys newydd oedd Groves, ac y câi rai oriau o lonydd rhag ei hymyrraeth ddiddiwedd; amser i gyfarwyddo â phethau yn ei ffordd ei hun.

'Ydy'r fenyw'n ddiogel?' gofynnodd Groves, gan dorri ar draws meddyliau Strachan.

'Ydy.'

'Oes rhywun gyda hi?'

'Mae'n cysgu, ac mi fydd hi'n cysgu am dipyn eto. Mae hi dan glo ac mae Moffat yn ei gwarchod.'

'Iawn,' meddai Groves eto, gan ildio i drefniadau Strachan, ond yn amharod i ildio'n llwyr chwaith. 'Mae pedair awr ar hugain yn ormod o amser.'

'Beth?' meddai Strachan, gan droi o'r cyfrifiadur. Roedd y tinc beirniadol yn llais Groves yn peri iddo chwysu.

'Yr amser mae e'n cael i ddod â'r llyfr. Mae pedair awr ar hugain yn ormod o amser; byddai deuddeg awr wedi bod yn fwy na digon. Byddai'n llai o ffenest. Yn flwch llawer mwy cyfyng i'w gadw fe ynddo. Bydden ni wedi cael y llyfr yn llawer cynt pe bait ti wedi dweud deuddeg awr yn lle pedair awr ar hugain.'

'Ie, falle'ch bod chi'n iawn,' meddai Strachan, heb awydd i ddadlau ac ennyn ei llid.

'Beth am wneud hynny nawr?' meddai Groves, gan eistedd i fyny yn y gadair. 'Ffonia fe a dwed wrtho mai deuddeg awr sy gydag e i ddod â'r llyfr i ni.'

Siglodd Strachan ei ben. 'Mae e wedi diffodd ei ffôn.'

'Ydy e wir,' meddai Groves gyda gwên. 'Dyw e ddim yn dwp, ydy e.'

'Wel, mae e wedi llwyddo i'n hosgoi ni hyd yn hyn,' meddai Strachan heb feddwl.

Diflannodd y wên o wyneb Rebecca Groves. Diflannodd y lliw o wyneb Alistair Strachan hefyd.

'Dyna pam y dylet ti fod wedi rhoi mwy o bwysau arno fe.'

Nid ymatebodd Strachan. Cadwodd ei sylw ar sgrîn y cyfrifiadur a oedd nawr yn dangos lluniau camerâu CCTV byw o'r strydoedd yng nghyffiniau tŷ Scott.

Bu'r ystafell yn dawel am rai munudau, ond wrth i Strachan ddechrau anghofio bod Rebecca Groves yno, dyma hi'n dechrau siarad eto. 'Oes gyda ni fwy o wybodaeth ynglŷn â ble'r aeth y bachgen ar ôl iddo osgoi dy ddynion di yn Sgwâr y Castell?'

'Nagoes.'

'Beth am y lluniau CCTV?' gofynnodd, gan bwyntio at sgrîn y cyfrifiadur. 'Oes rhywbeth ar y rheini?'

'Drwy edrych arnyn nhw ddysgon ni mai i gyfeiriad Bro Gŵyr roedd y car yn gyrru. Dyna pam anfonais i griw i chwilio'r ardal, a thrwy hap a damwain fe ddaethon ni ar eu traws nhw.'

'Damwain yw'r gair cywir,' meddai Groves. Roedd y feirniadaeth o fethiant Strachan eto'n amlwg yn ei llais. 'Ond roedden nhw'n gyrru 'nôl i gyfeiriad Abertawe pan ddigwyddodd y ddamwain.'

'Oedden, fwy na thebyg.'

'Felly ble roedden nhw wedi bod?'

Oedodd Strachan. Doedd dim pwynt ceisio dyfalu. Ble bynnag roedd Dylan Rees wedi bod y prynhawn blaenorol doedd e ddim yno nawr. A ble roedd e nawr oedd yn bwysig i Strachan, nid ble roedd e wedi bod ddoe. Ond roedd hi'n amlwg bod gan Rebecca Groves gymaint o ddiddordeb yn y gorffennol ag yn y presennol.

'Beth am y lluniau CCTV?' gofynnodd Groves cyn i Strachan ateb ei chwestiwn cyntaf. 'Ydyn ni wedi cael rhai o ansawdd gwell? Rhai cliriach?'

'Do'n i ddim yn gwybod bod eisie rhai cliriach,' meddai Strachan, gan droi o'r cyfrifiadur.

'Fe ofynnais i'r technegwyr wneud hynny.'

'O.'

'Byddai cael lluniau clir yn help. Adnabod pwy oedd yn y car a holi yn yr ardal; dwi'n siŵr y gallen ni ddod o hyd i rywun fyddai'n eu nabod.'

'Digon posibl,' cytunodd Strachan, heb ddeall beth fyddai gwerth hynny nawr.

'A'r car,' meddai Rebecca Groves, fel pe bai newydd gael syniad gwych. 'Ble mae'r car roedd y bachgen ynddo? Yr un oedd yn y ddamwain.'

'Gyda'n hymchwilwyr. Maen nhw'n ei archwilio â chrib fân er mwyn trio cael gafael ar unrhyw wybodaeth a all ein helpu – olion bysedd, darnau o wallt, DNA o unrhyw fath.'

'A beth am yr amlwg?'

'Yr amlwg?'

'Y DVLA,' meddai'r wraig yn ddirmygus. 'Pwy yw perchennog y car?'

Ochneidiodd Strachan yn dawel iddo'i hun. Dyma beth sy'n dod o ddelio ag amaturiaid, meddyliodd. Ond aeth yn ei flaen. 'Yn ôl y DVLA, perchennog olaf y Polo a oedd yn y ddamwain gyda'n cerbyd ni oedd Gareth Rowlands o Gaerfyrddin...'

Neidiodd Rebecca Groves ar ei thraed. 'A pham nad wyt ti wedi mynd ar ei ôl e?'

'Cafodd Gareth Rowlands drawiad ar y galon ar y seithfed o Hydref a bu farw ar yr ugeinfed o Hydref...'

'Ond mae hynny'n amhos...' torrodd Groves ar ei draws, ond ni adawodd Strachan iddi barhau.

'Ar y degfed o Ragfyr gwerthodd Megan Anthony, merch Gareth Rowlands, y car yn breifat i ddyn ifanc...'

'A...?' ymyrrodd Groves eto, gan ddod i sefyll ar bwys y ddesg.

'Am arian parod.'

'Ond beth am y DVLA?' mynnodd Groves a oedd bron yn gweiddi yn wyneb Strachan erbyn hyn. 'Fe ddylai enw'r dyn fod gyda nhw.'

'Anfonodd merch Rowlands dystysgrif y car i'r DVLA ond roedd yr enw roedd y prynwr newydd wedi ei roi iddi yn un ffug.'

Curodd Rebecca Groves y ddesg â chledr ei llaw.

'Felly dy'n ni ddim yn gwybod pwy oedd yn gyrru'r car adeg y ddamwain.'

'Na'dyn,' meddai Strachan, a oedd yn dal ddim yn deall pam roedd hynny o ddiddordeb i Rebecca Groves yn sydyn.

6

CRAC! CRAC!

Doedd Dylan ddim yn siŵr beth oedd wedi ei ddeffro. Ai'r llawr caled roedd e'n gorwedd arno, ei nerfau tynn a'i ofidiau, neu sŵn rhywbeth?

Cofiodd am sŵn y stribedi du yn clecian fel chwip.

BANG! BANG! BANG!

Eisteddodd i fyny. Doedd dim amheuaeth beth oedd y sŵn hwnnw: roedd rhywun yn curo ar ddrws y tŷ.

Tynnodd Dylan y sach gysgu oddi amdano ac edrych ar gloc y radio oedd ar y cwpwrdd yn ymyl gwely Scott. 06.51 meddai'r ffigurau mawr melyn. Ac roedd Dylan wedi gweld digon o ffilmiau a rhaglenni teledu i wybod pwy fyddai'n curo ar ddrysau tai ben bore fel hyn.

Estynnodd am ei esgidiau. Roedden nhw'n teimlo'n weddol sych.

Clywodd sŵn rhieni Scott yn symud ar hyd y landin.

Gwisgodd ei siwmper a'i siaced.

'Pwy sy 'na?' clywodd dad Scott yn galw wrth iddo fynd lawr y grisiau.

Rhoddodd Dylan ei law ym mhoced ei siaced a theimlo'i ffôn. Cofiodd am yr hen ffôn roedd Scott wedi ei roi iddo. Roedd yn dal i wefru. Tynnodd Dylan y plwg o'r wal a'i wthio gyda'r ffôn i boced arall y siaced lle roedd yr arian a gafodd gan Scott.

Er gwaethaf symudiadau Dylan a'r holl sŵn a chynnwrf arall yn y tŷ a thu allan, roedd ei ffrind yn dal i gysgu. Am eiliad ystyriodd Dylan ei ddeffro, ond yna penderfynodd y byddai'n well pe bai Scott yn dal i gysgu pan fyddai'r heddlu'n dod i ofyn iddo pryd roedd e wedi gweld ei ffrind ddiwethaf – fe allai hynny olygu munud neu fwy o amser iddo ef i ddianc.

Gwthiodd Dylan y sach gysgu allan o'r golwg o dan wely Scott a cherdded yn ysgafn at ddrws yr ystafell wely.

Sbeciodd allan drwy'r drws cilagored a gweld cysgodion rhieni Scott yn symud ar hyd wal y grisiau wrth iddyn nhw ddisgyn i'r cyntedd. Agorodd y drws ychydig yn fwy a chamu allan i'r landin. Tynnodd ddrws yr ystafell wely ar ei ôl a cherdded yn ddistaw ar draws y landin i gyfeiriad yr ystafell ymolchi yng nghefn y tŷ.

Roedd Dylan wedi bod yn nhŷ Scott droeon ac yn gwybod pa ystafell oedd ymhle a beth oedd o gwmpas y tŷ i bob cyfeiriad. Gwyddai mai estyniad un llawr oedd y tu cefn ac wrth ochr y garej, o dan ffenest yr ystafell ymolchi.

'Iawn, dwi'n dod!' gwaeddodd tad Scott yn ddiamynedd o lawr staer wrth i Dylan gau drws yr ystafell ymolchi a gwneud ei ffordd yn y tywyllwch tuag at y ffenest. Tynnodd y llenni naill ochr a symud rhai o'r poteli siampŵ oedd ar sil y ffenest allan o'r ffordd.

Roedd mwy o leisiau i'w clywed o'r llawr oddi tano nawr; dynion yn gofyn cwestiynau ac un yn mynnu eglurhad a menyw yn protestio wrth i eraill geisio'i thawelu.

Safodd Dylan ar sedd y tŷ bach a dringo i ben y sil. Gwthiodd y ffenest led y pen ar agor a thynnu'r llenni ynghau y tu ôl iddo cyn eistedd ar y sil goncrit y tu allan. Modfedd wrth fodfedd symudodd ar hyd y sil nes ei fod allan o ffordd y ffenest agored, a gwthiodd hi ynghau.

Gollyngodd ei goesau i lawr a throi o gwmpas gan ddal yn y sil â'i ddwylo. Crafodd blaen ei dreinyrs ar y wal wrth iddo deimlo'i ffordd i lawr i do gwastad yr estyniad. O fewn dim roedd yn hongian yn ei hyd o'r ffenest. Ond er ei daldra roedd e'n dal i fod ychydig yn brin o gyffwrdd â'r to.

Edrychodd i fyny ac o'i gwmpas. Gallai weld golau ar hyd ymylon rhai o'r ffenestri, ond nid oedd yn ddigon iddo weld faint o bellter oedd rhyngddo a tho'r estyniad.

Rhaid eu bod nhw wedi deffro Scott erbyn hyn, meddyliodd. Ni allai ddisgwyl iddo beidio dweud wrth ei rieni, os nad wrth yr heddlu, ei fod ef wedi bod yno. Faint o amser fyddai cyn i'r holi orffen ac i'r chwilio ddechrau?

Allai'r to ddim bod yn fwy na metr i ffwrdd, meddyliodd. Dim mwy na metr...

Gollyngodd ei afael yn y sil a disgyn i'r gwagle. Glaniodd ar y to a chropian yn ôl i gysgod wal y tŷ rhag ofn bod rhywun lan staer wedi ei glywed ac yn edrych allan drwy'r ffenest. Roedd o leiaf dri metr o do'r estyniad i'r ddaear, ac os nad oedd am gael ei ddal gan yr heddlu doedd ganddo ddim dewis ond mentro.

Cropiodd wysg ei ben-ôl ar draws y to i'r ochr dywyll i ffwrdd o ddrws cefn y tŷ. Edrychodd dros yr ymyl a gweld bin sbwriel mawr plastig yn dynn yn erbyn y wal.

'Diolch byth,' mwmialodd dan ei anadl a throi i'w ollwng ei hun o'r to i ben y bin. Swingiodd ei goes dde dros yr ymyl a dechrau disgyn.

Rhewodd!

O ochr arall yr estyniad llifodd llafn llydan o olau drwy wydr drws y cefn. Yr eiliad nesaf clywodd y drws yn cael ei agor. Gwthiodd Dylan ei droed yn erbyn ochr yr estyniad i'w wthio'i hun yn ôl a dim ond llwyddo o drwch blewyn i dynnu ei goesau yn glir cyn clywed sŵn rhywun yn cerdded ar ochr draw'r tŷ; esgidiau trwm yn taro ac yn sgathru'r graean y bu Dylan yn eu taflu at ffenestr Scott ychydig oriau'n gynharach.

Dilynodd ei glustiau lwybr y plismon wrth iddo gerdded i lawr yr ardd a throi heibio ochr bellaf yr estyniad.

Os daw e rownd yr ochr yma, bydd yn siŵr o 'ngweld i, meddyliodd Dylan.

'Hachach!' pesychodd y plismon a phoeri.

'Oes golwg ohono?' galwodd rhywun o ddrws y cefn.

Arhosodd y plismon ar y llwybr. 'Nagoes.'

'Mae'n siŵr o fod ymhell i ffwrdd erbyn hyn,' meddai'r llall. 'Dyw'r bachgen yn y tŷ ddim yn gwybod pryd aeth e; roedd e'n cysgu a chlywodd e mohono fe'n mynd.'

'Hy!' meddai'r plismon ar y llwybr cyn peswch eto a phoeri, eto. Yna dechreuodd gerdded yn ôl ar hyd y llwybr i gyfeiriad drws y cefn.

Daliodd Dylan ei anadl nes iddo glywed y drws yn cau. Er na ddiffoddwyd y golau, teimlai'n weddol sicr eu bod wedi gadael yr ardd. Gollyngodd ei ddwy goes dros yr ymyl a theimlo am y bin mawr plastig. Yna gollyngodd ei hun arno ac yna'n ofalus i'r llawr.

Cefnai'r ardd ar erddi tai yn y stryd y tu ôl i dŷ Scott ac anelodd Dylan at y clawdd.

Wrth iddo wthio drwyddo, meddyliodd am yr oriau o sgathru drwy gloddiau a baglu ar draws caeau roedd e wedi ei wneud yn ystod y pedair awr ar hugain ddiwethaf...

Pedair awr ar hugain...

Na, roedd ganddo lai na phedair awr ar hugain bellach. Roedd hi wedi saith o'r gloch y bore. Roedd ganddo lai nag un deg naw awr ar ôl.

Anwybyddodd Dylan y boen yn ei droed a chyflymodd ei gerddediad drwy'r ardd ac allan i'r stryd.

7

GADAWODD DYLAN i gar yr heddlu a'i olau glas yn fflachio ruthro heibio cyn iddo symud allan o gysgod y tŷ i'r stryd. Arhosodd nes ei fod yn siŵr nad oedd car arall yn dod cyn rhedeg yn gyflym ar draws y ffordd a phrysuro yn ei flaen allan o'r ardal cyn y byddai mwy o heddlu'n cyrraedd yno.

Ceisiodd ganolbwyntio ar y ffordd o'i flaen a chadw'n effro ac yn wyliadwrus rhag ofn y byddai car heddlu arall yn dod i'w gyfarfod.

Ond ni allai beidio â meddwl am Scott yn cael ei ddeffro gan yr heddlu a'i holi amdano ef heb unrhyw rybudd. Ac yntau'n dal yn hanner cysgu a heb amser i feddwl, roedd Dylan yn siŵr y byddai Scott yn dweud y gwir i gyd wrth yr heddlu, ac allai e ddim gweld bai arno o gwbl am hynny.

Roedd yn edifar ganddo nawr ei fod wedi dweud wrth Scott y byddai Strachan yn dod ar ei ôl am ei fod yn ffrind iddo. Roedd Strachan wedi symud yn gyflymach nag yr oedd Dylan wedi meddwl. Ond wedyn, os oedd e wedi llwyddo i berswadio'r heddlu mai Dylan oedd yn gyfrifol am farwolaeth y dyn yn y fflat, mater bach iawn fyddai eu cael nhw i ymweld â Scott yn oriau mân y bore.

Wrth iddo redeg heibio i'r tai teras sylwodd Dylan fod golau yn ffenestri nifer ohonyn nhw. Ai presenoldeb yr heddlu oedd wedi eu deffro, neu a oedden nhw'n codi'n gynnar i fynd i'r gwaith? Doedd gan Dylan ddim syniad. Dim ond iddyn nhw gadw allan o'i ffordd a pheidio â'i rwystro rhag dianc, doedd e ddim yn poeni.

Cyrhaeddodd y tŷ olaf yn y stryd a chlywodd sŵn ffenest yn agor. Edrychodd i fyny tuag ati a gweld y llenni'n symud ond ni welodd neb yn edrych allan.

'Hei!'

Trodd Dylan o'r ffenest a gweld plismon yn sefyll ar gornel y stryd.

'Dere 'ma!'

Arafodd Dylan ryw ychydig a symud tuag ato.

'Beth wyt ti'n ei wneud allan amser hyn o'r bore?'

Nid atebodd Dylan.

'E?' meddai'r plismon.

Cadwodd Dylan yn dawel.

'Dere 'ma,' meddai'r plismon eto, gan estyn ei law tuag ato. 'Dylan Rees wyt ti, yntefe?'

Aeth Dylan yn nes at y plismon.

'Ai Dylan Rees wyt ti?'

Yn ddirybudd cydiodd Dylan yn y fraich estynedig a'i thynnu tuag ato. Baglodd y plismon ymlaen, ei lygaid yn llydan agored mewn syndod. Dechreuodd ddisgyn i'r llawr ac estynnodd ei law rydd i'w achub ei hun. Llithrodd Dylan o dan ei gorff a'i adael i gwympo drosodd. Gollyngodd fraich y plismon a rholio'n glir ar y palmant.

'Hwff!' ebychodd y plismon wrth iddo daro

yn erbyn y rheiliau diogelwch ar gornel y stryd cyn disgyn ar ei hyd ar y llawr.

Cododd Dylan ar ei draed a rhedeg i ffwrdd i'r dde yn lletraws ar draws y stryd. Roedd y stryd yn wag, heb olwg o blismon arall yn unman. Efallai mai'r un ar y llawr oedd yr unig un oedd yn gwylio'r strydoedd cefn, tra bo'r lleill i gyd yn canolbwyntio ar dŷ Scott.

'Hei! Aros!'

Edrychodd Dylan dros ei ysgwydd i gyfeiriad y plismon a oedd yn ymdrechu i godi ar ei draed drwy bwyso yn erbyn y rheiliau diogelwch.

'Aros!' galwodd eto, gan estyn am ei radio.

Ond trodd Dylan yn ei ôl a chanolbwyntio ar ddianc cyn i weddill yr heddlu ymateb i'r alwad.

Gwelodd fod ffordd yn arwain i'r chwith o'r stryd roedd ef yn rhedeg ar ei hyd. Roedd Dylan eisoes wedi pasio agoriad i stryd arall a arweiniai o'r ffordd fawr wrth droi yn ôl i edrych ar y plismon, felly pan ddaeth i'r stryd nesaf wedyn, rhedodd i mewn iddi. Sylwodd ar arwydd ar ei ochr chwith yn dweud mai Stryd Windsor oedd ei henw.

Roedd hon yn stryd syth a chymharol fer. Roedd bron â chyrraedd ei diwedd pan yrrodd car heddlu i mewn iddi gan anelu tuag ato. Sgrialodd Dylan ar hyd y palmant ac aros yn ei unfan cyn troi a dechrau rhedeg yn ei ôl, ond cyn iddo fynd prin metr gwelodd ail gar heddlu yn dod i'w gyfarfod o'r cyfeiriad arall.

Arhosodd Dylan ac edrych o'i gwmpas, yn ôl ac ymlaen o un pen y stryd i'r llall; o'r naill gar i'r llall. Curai ei galon yn gyflym oherwydd yr ymdrech i ddianc a'r ofn o gael ei ddal. Ychydig y tu ôl iddo ar yr ochr chwith gwelodd lôn gul yn arwain heibio i garej. Heb feddwl ddwywaith rhedodd Dylan i mewn iddi.

Roedd y lôn yn llawer rhy gul i geir yr heddlu ei ddilyn ond doedd gan Dylan ddim amheuaeth na fyddai o leiaf un o'r plismyn yn ei ddilyn ar droed tra byddai'r car arall yn gyrru mor gyflym ag y gallai i ben arall y lôn. Gwyddai fod yr heddlu'n llawer mwy cyfarwydd ag ardal yr Uplands nag yr oedd ef, a'i unig obaith o ddianc fyddai cyrraedd agoriad pella'r lôn cyn car yr heddlu.

Rhedodd heibio i waliau uchel a drysau tal gerddi cefn y tai cyn dod allan i iard agored. Tyfai nifer o goed ar hyd ymylon yr iard a thaflai'r canghennau noeth gysgodion bygythiol ar draws y lôn.

Arhosodd Dylan ac edrych o'i gwmpas. Ymhle oedd pen arall y lôn?

Trodd yn ei unfan mewn cylch, sawl gwaith, gan geisio gweld heibio i'r coed a'r cysgodion wrth iddo chwilio am y llwybr.

A oedd pen arall i'r lôn? Neu ai dim ond arwain i mewn i'r iard yma oedd hi?

Pan redodd Dylan i mewn i'r lôn credai'n siŵr y byddai'n dod allan i'r ffordd roedd e wedi ei phasio heb sylwi arni pan oedd y plismon wedi galw arno. Ond a oedd hi?

Roedd yn dal i droi a chwilio pan glywodd sŵn rhywun yn rhedeg ar draws cerrig rhydd y lôn. Llwyddodd i guddio y tu ôl i un o'r coed eiliad yn unig cyn i blismon ddod i mewn i'r iard.

Safodd hwnnw yn ei unfan â'i lygaid yn araf sganio ar draws yr iard, yn effro i'r symudiad lleiaf.

Daliodd Dylan ei anadl a llithro'n isel i lawr y goeden, ei gefn yn crafu yn erbyn rhisgl caled y boncyff.

Cyneuodd y plismon ei fflachlamp a'i

symud yn araf o ochr i ochr o gwmpas yr iard.

Cadwodd Dylan yn hollol llonydd wrth i lafn llydan y golau oleuo'r waliau a'r coed a'r llwyni o'i gwmpas.

Pasiodd y golau heibio iddo a gollyngodd Dylan ei anadl yn araf. Ond yr eiliad nesaf trodd ei ryddhad yn ofn. Allai ddim aros yno yn disgwyl i'r plismon roi'r gorau i chwilio amdano, meddyliodd. A beth am y plismyn eraill? Ble oedden nhw? Oedden nhw'n dod tuag ato o ben arall y llwybr i'w ddal rhyngddyn nhw a'r plismon hwn?

Byddai'n rhaid iddo ddianc. Ond sut? Ac i ble allai fynd?

Gwelodd Dylan y wal y tu cefn iddo'n goleuo unwaith eto wrth i olau'r lamp symud yn ôl tuag ato. A allai aros nes y byddai'r golau'n ei basio ac yna mentro rhedeg i'r cyfeiriad arall? Byddai'n rhaid iddo benderfynu'n fuan cyn y byddai'n rhy hwyr.

Gwasgodd ei ddwylo y tu cefn iddo yn erbyn y goeden, yn barod i'w wthio'i hun i ffwrdd o'i guddfan a rhedeg i'r tywyllwch. Tynhaodd cyhyrau ei freichiau wrth iddo aros i'r golau ei basio.

Tri metr arall. Dau...

'Dwi'n gwybod dy fod ti 'na!' heriodd y plismon, gan dorri ar draws penderfyniad Dylan. Gwanhaodd ei freichiau a suddodd yn ôl yn erbyn bôn y goeden.

Ond yr eiliad nesaf llifodd y nerth yn ôl i'w freichiau wrth i'r lamp oleuo ceg y lôn a oedd yn arwain allan o'r iard.

8

SYMUDODD GOLAU'R lamp heibio i geg y lôn gan ei gadael yn dywyll.

'Gwell i ti ddod allan,' galwodd y plismon. 'Paid â gwneud pethau'n waeth. Maen nhw'n ddigon drwg yn barod.'

Ceisiodd Dylan gau ei glustiau i eiriau'r plismon a chadw ei lygad ar y man tywyll, lle credai roedd y lôn. Cyfrodd i bump yn araf er mwyn gadael i'r golau – a llygaid y plismon – symud yn ddigon pell i ffwrdd. Yna cododd o'i gwrcwd, a chan daflu un edrychiad heibio i'r goeden ar y plismon a oedd yn cyfeirio golau'r lamp i ran arall o'r iard, rhedodd allan o'r tu ôl i'r goeden ac at geg y lôn.

Rhedodd yn syth yn ei flaen, gan gadw ei lygad ar y man roedd yn anelu ato. Ond nid oedd llawr yr iard yn wastad nac yn glir, a chyn iddo redeg ond ychydig gamau baglodd Dylan ar draws pentwr o duniau paent gwag. Clindarddodd a sgrialodd y tuniau i bob cyfeiriad ac agorodd caead ambell un gan ollwng y paent dros bob man. Llithrodd Dylan arno, ac mewn ymdrech i'w atal ei hun rhag syrthio, safodd ar ben tun, troi pigwrn ei droed chwith a disgyn ar ei hyd ar lawr.

Roedd yr holl sŵn wedi tynnu sylw'r plismon. Symudodd golau'r lamp yn ôl tuag at Dylan a oedd yn sgathru ar draws y ddaear wlyb mewn ymdrech i godi cyn i'r golau ei ddal.

'Aw!' ebychodd pan roddodd ei bwysau ar ei droed, ond er gwaetha'r poen llwyddodd i sefyll ar ei draed a hercian ymlaen.

'Aros!' galwodd y plismon pan ddisgynnodd llafn y lamp arno.

Anwybyddodd Dylan y gorchymyn. Daliodd ati i redeg gorau gallai, gan ddefnyddio golau'r lamp y tu ôl iddo i gamu'n ofalus er mwyn osgoi'r paent a'r caniau eraill i ben y lôn.

'Aros!' galwodd y plismon unwaith eto cyn dechrau rhedeg ar ei ôl.

Herciodd Dylan ymlaen ar hyd y lôn a chaeodd y tywyllwch o'i gwmpas. Ymhell y tu ôl iddo clywodd sŵn y tuniau'n ratlan ar draws y llawr a'r plismon yn rhegi ac yn galw pob enw dan haul arno wrth iddo faglu drostyn nhw.

Gwenodd Dylan iddo'i hun wrth ddychmygu'r plismon yn rholio o gwmpas ar y llawr yng nghanol yr holl baent, a theimlodd y poen yn ei figwrn yn lleihau bob cam a gymerai. Efallai ei bod hi'n wir eich bod chi'n gallu rhedeg anaf i ffwrdd, meddyliodd. Cododd ei ysbryd yn fwy eto pan welodd olau'r stryd yn agosáu yn y pellter, ac erbyn iddo gyrraedd pen y lôn roedd Dylan yn rhedeg yn llawer mwy rhydd.

Ar ôl dod allan i Stryd Buddug oedodd am eiliad cyn penderfynu mynd i'r dde. Cyrhaeddodd ben y stryd a throi i'r dde eto i mewn i stryd serth, ond cyn iddo redeg mwy na phum metr, gwelodd gar heddlu yn gyrru i fyny'r rhiw tuag ato. Croesodd y ffordd ac i mewn i stryd arall.

Roedd y tai yn y stryd hon yn fwy o faint

a chanddyn nhw erddi o'u blaen a waliau uchel o'u cwmpas. Am eiliad ystyriodd Dylan neidio dros un o'r waliau a chuddio yno nes i'r heddlu basio, ond yna penderfynodd beidio rhag ofn y byddai neidio a glanio yn brifo'i figwrn eto.

Yn y pellter o'i flaen gallai Dylan weld llen drwchus o goed a chofiodd fod Parc Cwmdoncyn yn weddol agos i gartref Scott. Roedd y ddau ohonyn nhw wedi bod yno droeon yn y gorffennol yn chwarae ac yn gwneud niwsans ohonyn nhw'u hunain. Os mai coed y parc hwnnw oedd rhain, a phe bai'n llwyddo i'w cyrraedd, byddai ganddo lawer gwell cyfle i osgoi'r heddlu.

Ond rhyngddo a'r coed roedd agoriad ar ei ochr dde i stryd arall. Cyn iddo sylweddoli beth oedd yn digwydd, saethodd car allan ohoni a sgrialu ar draws y ffordd o'i flaen cyn aros lai na throedfedd oddi wrtho.

Tagodd peiriant y car a stopio'n farw. Ochrgamodd Dylan heibio iddo ar ochr y gyrrwr. Dyna pryd y sylweddolodd mai car heddlu arall ydoedd.

Agorodd y gyrrwr ei ddrws ond gwthiodd Dylan ei ysgwydd yn ei erbyn wrth iddo redeg heibio gan daro yn erbyn pen y plismon a'i wthio'n ôl i'w sedd.

Doedd ond rhyw dri deg metr i'r coed ac roedd Dylan yn benderfynol o'u cyrraedd. Ond wrth iddo ddod yn agosach atyn nhw sylweddolodd fod yna rheiliau haearn ar draws y ffordd rhyngddo ef a'r parc. A phan oedd o fewn ychydig gamau i'r rheiliau, gwelodd fod y ffordd o leiaf bum metr yn uwch na'r parc ac y byddai'n rhaid iddo neidio i lawr iddo.

Edrychodd ar y tai bob ochr iddo ac ystyriodd unwaith eto ddianc i mewn i ardd un ohonyn nhw. Ond fyddai hynny ddim yn cadw'r heddlu rhag dod ar ei ôl. Trodd yn ôl at y tŷ ar ei ochr chwith a sylwi bod wal gerrig fechan o'i flaen; o ddringo i'w phen, fe fyddai'n haws iddo fynd dros y rheiliau a'i ollwng ei hun i lawr i'r parc.

Doedd dim dewis arall ganddo.

Dringodd i ben y wal a chamu'n ofalus dros y rheiliau haearn a oedd yn bigfain ac yn fygythiol iawn yr olwg.

Dim ond pan oedd e'n disgyn i'r parc y cofiodd Dylan am ei figwrn.

9

GLANIODD DYLAN gan roi cyn lleied o bwysau ag y gallai ar ei droed dde cyn disgyn ar ei ochr a rholio. Dyma'n union fel roedd ei dad wedi ei ddysgu i wneud yn y wers gyntaf a gafodd ganddo ar sut i'w amddiffyn ei hun.

Cododd ar ei draed ac edrych o'i gwmpas. Ar ei chwith roedd ehangder agored canol y parc. O'i flaen roedd cyrtiau tennis, ac i'r dde lawnt fowls. Rhedodd Dylan i'r dde, gan dorri llwybr tarw ar draws sgwâr gwyrdd y lawnt. Roedd llwybr y parc yn gwyro i'r dde yn ôl tuag at un o'r mynedfeydd ond gwyddai Dylan mai dim ond un stryd i ffwrdd o'r stryd roedd ef wedi neidio ohoni i mewn i'r parc oedd honno; yn llawer rhy agos at geir yr heddlu. Felly cadwodd ar ei lwybr i mewn ymhellach i ganol y parc.

Gwyddai fod yna ffordd yn rhedeg o gwmpas Parc Cwmdoncyn. Os gallai gyrraedd y pen pellaf heb i'r heddlu ei weld, byddai ganddo gyfle da i adael yr ardal tra bod yr heddlu'n dal i feddwl ei fod yn y parc ac yn gwastraffu eu hamser yn chwilio amdano.

Cyrhaeddodd ben draw'r lawnt. Neidiodd

dros y ffos fechan a'i hamgylchynai i'r llwybr a arweiniai rhwng dwy res o goed, eu canghennau noeth yn ddim cysgod rhag ei helwyr. O'i flaen yn y pellter gwelai fod y ddaear yn codi a bod rhagor o reiliau yn torri ar draws darn hir o dir gwyrdd wrth i'r parc a'r tir o gwmpas ymdoddi'n un.

Anelodd Dylan at y rheiliau a'u cyrraedd mewn llai nag ugain eiliad. Gafaelodd ynddyn nhw a'i dynnu ei hun i fyny cyn rholio drostyn nhw a disgyn i'r ddaear. Teimlodd don o ryddhad nad oedd ei droed chwith mor boenus ag y bu. Heb oedi eiliad parhaodd ar ei lwybr lletraws i fyny'r llethr i gyfeiriad rhes o dai. Cadwodd i fynd i'r dde fel y byddai'n cyrraedd y ffordd o flaen y tai a chornel y stryd ar yr un pryd.

Pan gamodd allan i'r stryd nesaf cofiodd ei fod wedi bod yno o'r blaen gyda'i dad. Cwmdoncyn Drive oedd ei henw. Roedd ei dad wedi dod ag ef yno i weld y tŷ lle roedd un o'i arwyr, y bardd Dylan Thomas, wedi cael ei eni. Ar ei ôl ef roedd Dylan wedi cael ei enwi.

Ac oherwydd yr atgof hwnnw dechreuodd Dylan feddwl am ei dad. Roedd yn siŵr ei fod wedi hen lanio yn yr Almaen erbyn hyn ac yn ôl gyda'i uned. Fe fyddai hefyd yn siŵr o fod wedi ceisio cysylltu â Dylan i ddweud wrtho ei fod wedi cyrraedd yn ddiogel. Tybed beth oedd yn ei feddwl ar ôl methu cael ateb?

Ond feiddiai Dylan ddim cysylltu ag ef nawr. Byddai hynny'n datgelu ei leoliad i Strachan. Ni allai hyd yn oed fentro cynnau ei ffôn i weld a oedd ei dad wedi anfon neges ato. Efallai fod Strachan am i Dylan gael ei draed yn rhydd i fynd â'r llyfr iddo, ond eto roedd hi'n amlwg ei fod am gadw llygad arno bob cam o'r ffordd.

Cyrhaeddodd Dylan ben y stryd. Oedodd am eiliad i edrych i fyny ac i lawr y ffordd am geir yr heddlu, ond roedd pobman yn wag ac yn dawel. Roedd ar fin croesi pan welodd gar gwyn yn gyrru'n araf heibio i waelod y stryd. Camodd yn ôl i'r palmant ac aros i'r car yrru heibio.

Ar draws y ffordd roedd yna res hir o risiau serth yn arwain ymhellach i fyny'r bryn ond anwybyddodd Dylan nhw gan gadw i'r ffordd. Roedd hi'n llawer rhy gynnar i'r gwasanaeth bysiau, a beth bynnag, faint o fysiau fyddai'n teithio heddiw a hithau'n ddydd Sadwrn? holodd ei hun. Roedd hi hefyd yn dal yn wyliau a phobl heb fynd yn ôl i'r gwaith.

Na, os oedd Dylan am gyrraedd canol y ddinas, byddai'n rhaid iddo gerdded.

A cherdded a wnaeth.

Dros yr awr nesaf collodd gyfri o'r ffyrdd a'r strydoedd a ddilynodd. Rhai yn llydan ac yn briffyrdd a arweiniai yn syth i ganol Abertawe lle roedd sŵn pob car yn agosáu yn cyflymu curiadau ei galon. Roedd eraill yn strydoedd tawel o dai lle roedd sŵn drws yn cau yn gwneud iddo neidio a chilio i'r cysgodion, fel ci oedd yn gyfarwydd â chael ei guro.

Bob tro y gwelai Dylan arwydd bod ffordd yn arwain i *dead end* dilynai hi gan ei defnyddio i osod rhwystr arall rhyngddo ef a'r heddlu. Ond bob tro y byddai'n meddwl am yr heddlu yn chwilio amdano, a'r ffaith eu bod nhw'n credu ei fod e'n llofrudd, roedd rhyw gwestiwn bach yn crafu yng nghefn ei feddwl. Ond roedd y cwestiwn mor fach ac mor bell i'r cefn, bob tro y ceisiai Dylan ei dynnu i'r blaen, âi'n llai ac ymhellach i ffwrdd.

O'r diwedd cyrhaeddodd strydoedd oedd yn llawer mwy cyfarwydd iddo ond gwyddai mai camgymeriad fyddai aros yno. Byddai'n rhaid iddo gadw'n glir o lefydd cyfarwydd. Er mai ym Mharc Cwmdoncyn roedd yr heddlu wedi ei weld e ddiwethaf, gwyddai y bydden nhw'n chwilio amdano yno hefyd.

Pasiodd adeilad lle daeth gwynt cig moch yn ffrio drwy'r ffenest agored. Roedd egni'r holl siocled a'r bisgedi roedd Dylan wedi'u bwyta'r noson gynt wedi cilio erbyn hynny. Unwaith yr ogleuodd y cig moch gwyddai y byddai'n rhaid iddo chwilio am gaffi yn weddol fuan neu byddai'r heddlu a phawb arall yn siŵr o glywed sŵn ei stumog yn cwyno.

Roedd e'n amau a fyddai McDonalds neu un o'r caffis mawr eraill ar agor eto. Felly trodd i fyny un o'r strydoedd cefn, allan o olwg ceir yr heddlu a Jeeps Strachan, i chwilio am rywle llai moethus a llai amlwg i gael brecwast.

10

SYCHODD DYLAN yr olaf o'r sos coch oedd ar ei blât â chrystyn y dafell olaf o fara menyn. Plataid o saim gydag ychydig o gig ac wy oedd disgrifiad ei dad o'r brecwast roedd

Dylan newydd ei fwyta; bwyd roedd y ddau ohonyn nhw'n ei fwynhau yn aml cyn mynd i weld y Gweilch yn chwarae ar brynhawn dydd Sadwrn. Er, meddyliodd Dylan, roedd yna wythnosau lawer wedi pasio ers eu hymweliad diwethaf â Stadiwm Liberty.

Stwriodd Dylan ei hun a gwthio'r meddyliau am ei amser gyda'i dad i'r naill ochr; ni allai fforddio gwastraffu amser yn meddwl am hynny nawr. Edrychodd o'i amgylch ar y bobl eraill oedd yn y caffi. Eisteddai dyn a menyw oedrannus ger y drws, dwy ferch yn eu hugeiniau wrth fwrdd arall y tu ôl iddo, a dau fachgen oedd flwyddyn neu ddwy yn hŷn nag ef yn y cefn.

Cydiodd Dylan yn fecanyddol yn ei fwg o siocled a meddwl am ei fam. Roedd ei rhyddid hi a diogelwch y llyfr yn dibynnu'n llwyr arno ef, ond doedd ganddo ddim syniad sut roedd e'n mynd i achub yr un ohonyn nhw.

Byddai rhoi'r llyfr i Strachan yn achub ei fam – neu o leiaf dyna beth roedd Strachan wedi'i ddweud – ond a allai Dylan ei gredu? Unwaith y byddai'r llyfr yn ei feddiant, pwy allai ddweud beth fyddai Strachan yn ei wneud wedyn. Byddai Dylan a'i fam ar drugaredd 3G a doedd e ddim yn meddwl y byddai'r cwmni'n ei drin yn garedig, yn enwedig ar ôl yr holl drafferth roedd e wedi ei achosi iddyn nhw. Cael gafael ar y llyfr oedd yr unig beth oedd yn bwysig i Strachan ac roedd hi'n amlwg nad oedd e'n poeni dim am unrhyw beth nac unrhyw un arall.

Ond os oedd cael y llyfr mor bwysig iddo, pam oedd e wedi gosod rhwystr yn ffordd Dylan trwy ddweud wrth yr heddlu mai ef oedd yn gyfrifol am ladd y dyn yn y fflat? Efallai fod Strachan yn meddwl bod y llyfr ym meddiant Dylan ar y pryd, neu ei fod o fewn cyrraedd hwylus iddo ac mai mater bach fyddai mynd i'w nôl.

Wel dyw hynny ddim yn wir, meddyliodd Dylan; roedd y llyfr gymaint allan o'i gyrraedd ef ag yr oedd allan o gyrraedd Strachan. Roedd Dylan wedi gwneud yn siŵr fod y llyfr mewn lle diogel, ond efallai ei fod e yn rhywle rhy ddiogel nawr.

Rhywbeth arall na allai wneud dim byd yn ei gylch, meddyliodd. Trodd Dylan ei feddyliau yn ôl at yr heddlu ac esboniad arall pam roedd Strachan wedi dweud wrthyn nhw mai ef oedd wedi lladd y dyn yn y fflat.

Roedd Strachan yn defnyddio'r bygythiadau yn erbyn ei fam i orfodi Dylan i roi'r llyfr iddo. Ond mae'n rhaid ei fod e'n ofni y byddai Dylan yn mynd at yr heddlu ac yn dweud popeth wrthyn nhw am yr hyn oedd wedi digwydd yn ystod y pythefnos diwethaf. Un ffordd o wneud yn siŵr na fyddai'n gwneud hynny oedd ei gyhuddo o ladd y dyn yn y fflat. Pe bai Strachan yn llwyddo i berswadio'r heddlu o hynny, yna fydden nhw ddim yn credu gair fyddai Dylan yn ei ddweud wrthyn nhw.

Ac roedd hi'n amlwg ei fod e wedi llwyddo i'w berswadio.

Roedd hynny hefyd yn golygu na fyddai trafferthion Dylan yn gorffen ar ôl iddo roi'r llyfr i Strachan. Byddai'r heddlu'n dal ar ei ôl, a beth bynnag fyddai Dylan yn ei ddweud wrthyn nhw, byddai Strachan yn gallu gwadu popeth gan na fyddai'r llyfr nac unrhyw ddarn arall o dystiolaeth ganddo i brofi'n wahanol.

Ochneidiodd Dylan, pwyso'i ben yn ôl dros gefn y gadair a syllu ar nenfwd y caffi.

Ni allai weld unrhyw ffordd allan o'r twll roedd e ynddo. Roedd Strachan a 3G wedi meddwl am bopeth ac roedd yntau wedi cael ei bacio a'i glymu yn becyn bach twt – yn anrheg Nadolig hwyr i'r heddlu.

'...Dylan Rees...'

Clywodd Dylan ei enw a thynnodd ei lygaid o'r nenfwd ac edrych o'i gwmpas.

Roedd y cwsmeriaid eraill yn dal i fwyta'u bwyd heb dalu'r sylw lleiaf iddo ef, ond wrth iddo edrych o gwmpas y caffi, gwelodd Dylan set deledu ar silff uwchben y cownter.

Nid oedd wedi sylwi arni pan ddaeth i mewn ac mae'n rhaid bod y dyn y tu ôl i'r cownter newydd droi'r sain i fyny er mwyn gwrando ar y newyddion. Ac o'r lluniau o Abertawe a'r strydoedd o gwmpas yr adeilad lle roedd Dylan a'i fam yn byw, roedd y rheswm dros ddiddordeb dyn y caffi yn amlwg: hanes y llofruddiaeth yn eu fflat oedd y stori dan sylw.

Daeth yr adroddiad a'r ffilm i ben. Dychwelodd y rhaglen at y cyflwynydd yn y stiwdio. Ond nid oedd y sylw i'r llofruddiaeth drosodd gan i Dylan glywed y cyflwynydd yn dweud rhywbeth am ymchwiliadau'r heddlu cyn iddo droi at berson arall yn y stiwdio.

Ymddangosodd wyneb gwraig ganol oed ar y teledu ac er bod ei henw ar waelod y sgrîn, roedd Dylan yn rhy bell i ffwrdd i allu ei ddarllen. Gwenai'r wraig yn garedig ar y cyflwynydd a nodio'n ddoeth tra'n gwrando arno. Gofynnodd y cyflwynydd gwestiwn iddi ond ni allai Dylan ei glywed yn iawn felly cododd o'r bwrdd a mynd i eistedd wrth un arall a oedd yn agosach at y cownter.

'...does dim dwywaith bod hwn yn achos trist iawn,' meddai'r wraig, gan gyffwrdd â sgarff sidan dywyll o gwmpas ei gwddf, 'ond dwi'n deall nad yr achos hwn yn Abertawe yw'r unig un mae'r bachgen yma'n gysylltiedig ag e, ond hefyd dau ddigwyddiad difrifol arall; un yn Llanymddyfri a'r llall ym Mhen-y-bont ar Ogwr. Ond nid dyma'r lle i sôn am y rheini.'

'A beth am gefndir y bachgen?' gofynnodd y cyflwynydd. 'Ydyn ni'n gwybod unrhyw beth am ei deulu?'

'Wel, unwaith eto dwi ddim eisie dweud gormod...' meddai'r wraig, cyn mynd yn ei blaen i ddweud mwy, '...ond dwi'n deall bod y bachgen yn dod o deulu un rhiant a bod ei dad wedi gadael y cartref beth amser yn ôl ac erbyn hyn yn byw rywle ar y cyfandir. Ers i'r tad adael, mae'r fam wedi gorfod magu'r bachgen ar ei phen ei hun, ac fel mae eich gwylwyr yn gwybod, mae'n siŵr, dyw hynny ddim yn beth hawdd i'w wneud, yn enwedig os oes gennych broblemau emosiynol eich hun. Ry'n ni'n deall mai ei phartner, y diweddaraf o nifer, oedd Simon Lewis, y dyn a laddwyd gan Dylan Rees. Ac wrth gwrs doedd y sefyllfa gartref ddim wedi helpu Dylan, sy yn ôl pob tebyg â phroblemau ymddygiad yn yr ysgol a hanes o ymosod ar fechgyn eraill. Ond fel y dwedes i, dwi ddim am ddweud gormod am hynny ar hyn o bryd. Ein gwaith ni nawr yw cefnogi'r heddlu yn eu hymchwiliadau, ac yna pan fyddan nhw wedi dod o hyd i Dylan, gwneud ein gorau i'w helpu ef a'i deulu i gael y gofal gorau posibl.'

Ni allai Dylan gredu ei glustiau. Pwy oedd *hi* i siarad amdano ef a'i deulu? Beth oedd *hi*'n ei wybod amdanyn *nhw*? Dim. Ac roedd hynny'n amlwg o'r holl gelwydd roedd hi'n ei ddweud.

Ond roedd hi'r un mor amlwg ei bod hi *yn* gwybod llawer am yr hyn oedd wedi digwydd iddo; pethau oedd yn gysylltiedig â 3G a'r chwilio am y llyfr. Ond sut allai hi wybod am hynny?

'Diolch yn fawr iawn i chi, Dr Groves,' meddai'r cyflwynydd. 'Mae'n siŵr y byddwn ni'n clywed llawer mwy am yr achos trist hwn yn y dyfodol.'

'Croeso,' meddai'r wraig gan wenu'n gyfeillgar.

'Dr Groves,' meddai Dylan wrtho'i hun gan astudio'i hwyneb ar y sgrîn.

Doedd e ddim yn ei hadnabod hi, er bod yna rywbeth gweddol gyfarwydd amdani hefyd. Efallai ei bod hi'n rhywun oedd wastad ar y teledu yn siarad dwli am bawb a phopeth. Yn sicr roedd hi'n hoff iawn o glywed sŵn ei llais ei hun, yn mynd ymlaen ac ymlaen am bethau doedd ganddi mo'r syniad lleiaf amdanyn nhw.

Yna'n sydyn newidiodd y llun ar y sgrîn. Yn lle wyneb y wraig, roedd Dylan yn edrych ar lun ohono'i hun ac yn clywed y cyflwynydd yn apelio ar unrhyw un a wyddai lle roedd Dylan Rees i gysylltu â'r heddlu ar unwaith.

11

SYLLODD DYLAN yn gegrwth ar y teledu, yn dal ei anadl, nes i'r llun ddiflannu. Yna dechreuodd ailchwarae yr hyn roedd y wraig wedi'i ddweud yn ei feddwl. Nid oedd yn cofio popeth air am air, ond roedd rhai ymadroddion megis 'yn dod o deulu un rhiant', 'ei dad wedi gadael y cartref', 'problemau emosiynol', 'problemau ymddygiad yn yr ysgol' wedi glynu yn ei gof.

Wedi glynu ac wedi ei wylltio. Roedd y cyfan yn gelwydd. Ond pwy bynnag oedd Dr Groves, roedd hi wedi gwneud gwaith da o bardduo enw Dylan a'i deulu; fyddai neb, nid dim ond yr heddlu, ond *neb*, yn credu gair y byddai e'n ei ddweud nawr.

Rhaid bod ganddi rywbeth i'w wneud ag Alistair Strachan; sut arall fyddai hi'n gwybod am Lanymddyfri a Phen-y-bont ar Ogwr? Roedd Strachan wedi symud yn gyflym iawn i gael gafael ar hanes ei deulu a'i wyrdroi er mwyn cau pob llwybr a gadael Dylan â dim ond un opsiwn: ufuddhau yn llwyr iddo ef.

Clywodd Dylan ffôn yn canu a phasiodd rhai eiliadau cyn iddo sylweddoli mai o boced ei gôt ef roedd y sŵn yn dod. Gwthiodd ei law i'w boced a thynnu ei ffôn allan, ond roedd hwnnw'n dal wedi ei ddiffodd yn llwyr. Cofiodd am hen ffôn Scott a thynnodd hwnnw allan hefyd.

Edrychodd ar y sgrîn a gweld enw Scott.

'Ie?' meddai.

'Dyl?'

'Ie.'

'Eisie dweud sori.'

'Am beth?'

'Am ddweud amdanat ti wrth yr heddlu.'

'Y pethe 'na wedodd y fenyw ar y teledu? Ti wedodd hynny wrthyn nhw?'

'Nage, ddim hynny, fydden i byth...'

'Bod gyda fi broblem ymddygiad yn yr ysgol?'

'Nage.'

'A 'mod i'n ymosod ar fechgyn eraill?'

'Nage.'

'Pwy, 'te?'

Ond nid atebodd Scott. Doedd dim byd ond distawrwydd llethol ar ben arall y ffôn.

'Ro'n i'n meddwl ein bod ni'n ffrindiau, Scott,' meddai Dylan o'r diwedd.

'Ni yn,' mynnodd Scott. 'Ni yn dal yn ffrindiau.'

'Ydyn ni?'

'Ydyn.'

'Iawn, os wyt ti'n dweud. Oes gyda ti rywbeth arall i'w ddweud?'

Aeth y ffôn yn dawel am ychydig eto gan roi amser i Dylan feddwl. Ond doedd y meddyliau ddim yn rhai pleserus.

'Maen nhw'n gwrando ar yr alwad 'ma, on'd y'n nhw?' meddai.

Nid atebodd Scott.

Diffoddodd Dylan y ffôn. Os oedd yr heddlu'n gwrando ar y sgwrs, byddai'n rhaid iddo ddiflannu'n weddol gyflym cyn iddyn nhw ddeall o ble roedd e'n siarad.

Ffrindiau? meddyliodd Dylan. Yn dal yn ffrindiau?

Yn sydyn synhwyrodd fod rhywun yn sefyll y tu ôl iddo. Cododd ei ben a throi i weld y ddau fachgen oedd wedi bod yn eistedd yng nghefn y caffi yn sefyll yn ei ymyl.

Oedden nhw wedi gweld ei lun ar y teledu? meddyliodd Dylan, pan ddaeth hi'n amlwg nad oedd y ddau yn mynd i gerdded heibio.

'Dau ffôn. Un person ond dau ffôn,' meddai'r bachgen cyntaf, y tewaf o'r ddau, ei wyneb yn blastar o blorynnod a chrach.

'Pam fydde eisie dau ffôn ar un person?' meddai'r bachgen arall, ei drwyn main yn goch o dan yr hwdi porffor. 'Mae hynny braidd yn farus, on'd yw e?'

'Barus iawn,' meddai'r llall.

Cododd Dylan ei ffôn o'r bwrdd a rhoi'r ddau yn ôl yn ei boced.

'Welest ti 'na?' meddai'r trwyn main.

'Do,' meddai'r wyneb crachlyd. 'Dwi ddim yn meddwl bod hwnna'n beth cyfeillgar iawn i'w wneud.'

Gwthiodd Dylan ei gadair 'nôl a chodi. 'Dwi ddim yn teimlo'n gyfeillgar,' meddai. 'Ac os ewch chi'ch dau mas o'r ffordd i fi gael mynd…'

'Mynd?' meddai'r wyneb crachlyd, gan estyn ei law at ysgwydd Dylan. 'Dwyt ti ddim yn mynd i…'

Ond cyn iddo orffen ei fygythiad gafaelodd Dylan yn ei fraich a'i throi y tu ôl i'w gefn, cyn ei wthio ar draws yr ystafell i ddisgyn yn bendramwnwgl ar draws y bwrdd lle eisteddai'r ddwy ferch. Sgrechiodd y ddwy a chodi, gan faglu ar draws eu cadeiriau.

Syllodd y bachgen arall yn syn ar ei gyfaill yn llithro'n swp i'r llawr. Manteisiodd Dylan ar ei syndod gan gydio yng nghwcwll ei hwdi a'i dynnu i lawr dros ei wyneb.

'Hei! Beth...?'

Ond er nad oedd y trwyn main yn gallu gweld, doedd hynny'n rhwystro dim ar ei reddf naturiol i'w amddiffyn ei hun. Caeodd ei ddwylo'n ddyrnau a chwifio'i freichiau'n wyllt o'i flaen gan daro Dylan yn galed ar ei frest.

'Hy!' ebychodd Dylan wrth i'r poen ledu ar draws ei gorff. Ond daliodd ei afael yn yr hwdi a'i dynnu'n galetach er mwyn gorfodi'r bachgen yn is at y llawr a'i gadw rhag ei daro eto. Ond yn lle disgyn ar ei drwyn i'r llawr, cymerodd y bachgen ddau gam yn ôl a'i ryddhau ei hun o'r hwdi gan adael Dylan yn dal y dilledyn gwag.

Taflodd Dylan yr hwdi ato a throi am ddrws y caffi, ond erbyn hynny roedd y bachgen arall wedi codi ac yn sefyll rhyngddo a'r stryd. Roedd y dyn a'r fenyw oedrannus wedi ffoi, gan adael eu brecwast ar ei hanner a'r drws yn gilagored.

'Hei! Nawr, dyna ddigon!' gwaeddodd y dyn y tu ôl i'r cownter. 'Os nad ewch chi mas nawr dwi'n mynd i ffonio'r heddlu. Chi'n clywed?'

Ond ni chymerodd Dylan na'r ddau fachgen y sylw lleiaf ohono. Parhaodd y tri i syllu'n galed ar ei gilydd, yn pwyso a mesur ei gilydd, i weld pwy fyddai'n gwneud y symudiad cyntaf.

Roedd Dylan yn dechrau difaru creu helynt, ond ni allai fod wedi gadael i'r bechgyn gael ei ffôn; dyna'i unig gysylltiad â'i fam. Ond ar yr un pryd, os oedd y perchennog yn mynd i alw'r heddlu ni allai fforddio aros yno'n rhy hir; byddai galwad ffôn Scott a chŵyn y perchennog yn tynnu'r heddlu i'r caffi ar ras.

Byddai'n rhaid iddo wneud rhywbeth yn gyflym.

Dechreuodd y bachgen ger y drws gerdded yn araf tuag ato a sylwodd Dylan fod ei fraich dde yn hongian yn llipa wrth ei ochr. Canlyniad i'w godwm gyda'r bwrdd, meddyliodd. Edrychodd dros ei ysgwydd at y llall oedd yn sefyll ar ganol llawr y caffi.

'Ffansïo dy *chances*, wyt ti?' meddai hwnnw, yn amlwg yn awchu am y frwydr oedd i ddod.

'Y llall,' meddai Dylan wrtho'i hun. 'Yr un sy wedi brifo'i fraich; hwnnw yw'r gwannaf, a'r tu ôl iddo ef mae'r drws.'

Teimlodd Dylan â'i law dde am ymyl y bwrdd y bu'n eistedd wrtho.

'Reit,' meddai'r perchennog, gan godi ei ffôn. 'Eich cyfle olaf.'

Ond doedd neb am dderbyn y cynnig a chynyddodd y tensiwn.

'Peidiwch!' sgrechiodd un o'r merched oedd yn cofleidio'i gilydd ym mhen pella'r ystafell. Roedd y llall yn wylo'n afreolus.

'Cau dy geg!' gorchmynnodd y trwyn main wrthi, gan hanner edrych dros ei ysgwydd.

Gwelodd Dylan ei gyfle a gwthiodd y bwrdd yn galed tuag at y bachgen. Heb oedi i weld a oedd wedi ei daro, rhedodd at y llall.

Cododd hwnnw ei law chwith, a dim ond ei law chwith, i'w amddiffyn ei hun. Cydiodd Dylan ynddi â'i ddwy law a throi'r bachgen fel ei fod yn sefyll rhyngddo ef a'r bachgen arall.

'Helô! Helô!' gwaeddodd y perchennog lawr y ffôn. 'Heddlu?'

Gwthiodd y trwyn main y bwrdd allan o'i ffordd a rhuthro at Dylan. Rhedodd Dylan i gyfarfod ag ef gan wthio'r wyneb crachlyd o'i flaen.

'Hei! Paid!' sgrechiodd hwnnw, ei ddwy fraich yn brifo bellach.

SMAC!

Trawodd trwyn main ei ffrind yn galed yng nghanol ei wyneb a throdd hwnnw yn faich trwm fel plwm ym mreichiau Dylan.

Efallai fod ei dad wedi dysgu ambell symudiad i'w amddiffyn ei hun iddo, ond roedd hi'n amlwg bod y bachgen â'r trwyn main yn ymladdwr stryd profiadol a oedd yn barod i wneud unrhyw beth i unrhyw un er mwyn ennill. Roedd hyn yn wahanol iawn i ddysgu gwers i Craig, Mit a Stac.

Llithrodd y wyneb crachlyd allan o freichiau Dylan i'r llawr. Gwenodd y trwyn main. 'Dim ond ti a fi,' meddai.

'Ie, ie, dyna chi,' gwaeddodd y perchennog ar ôl rhoi enw a chyfeiriad y caffi i'r gwasanaethau brys. 'Glou, maen nhw'n torri popeth.'

Cymerodd Dylan gam yn ôl a lledodd y wên ar wyneb y llall.

Teimlai Dylan awel fain yn chwythu drwy'r drws cilagored y tu ôl iddo. Sawl cam i ffwrdd oedd e? meddyliodd. Dau? Tri? A allai gyrraedd y stryd cyn i'r llall ei ddal? Byddai'n rhaid iddo fentro; allai ddim aros yno os oedd yr heddlu ar y ffordd. Petai'n aros i ymladd, roedd yna debygolrwydd mawr y byddai'n dal yno, yn ymwybodol neu'n anymwybodol, pan fydden nhw'n cyrraedd.

Cymerodd Dylan gam arall yn ôl.

Rhuthrodd y trwyn main ar ei ôl, ei fraich yn uchel a'i law yn ddwrn.

Trodd Dylan am y drws. Llithrodd ar rywbeth ar y llawr a'i gael ei hun yn hyrddio tuag at y cownter. Trawodd ei ysgwydd yn ei ymyl cyn iddo ddisgyn i'r llawr ac osgoi daro'i ben yn erbyn ymyl y drws o drwch blewyn.

Edrychodd i fyny a gweld bod y bachgen yn dal i ddod amdano ar ras. Crafangodd Dylan am y drws a'i dynnu'n agored. Baglodd y bachgen ar draws ei draed a disgyn ar ei hyd gan daro'i ben yn erbyn ymyl y drws.

Teimlodd Dylan bwysau diymadferth y bachgen yn disgyn arno. Stryffaglodd i'w wthio naill ochr a chodi.

'Hei!' galwodd y perchennog arno. 'Hei! Dere 'nôl!'

Ond erbyn hynny roedd Dylan hanner ffordd i fyny'r stryd ac allan o sŵn y gweiddi.

12

OND DOEDD y stryd ddim tamaid yn fwy tawel nac yn fwy diogel.

Yn lle sŵn gweiddi perchennog y caffi, saethai sgrechiadau seiren drwy awyr denau'r bore – mwy nag un seiren, meddyliodd Dylan, wrth iddo sylweddoli eu bod yn dod o sawl cyfeiriad. Roedd yn union fel pe bai holl geir yr heddlu'n gwibio o bob cornel o'r ddinas at yr un nod.

At y caffi.

Ato ef.

Sgrialodd Dylan heibio cornel y stryd er mwyn bod allan o olwg y ceir pan fydden nhw'n cyrraedd. Eiliadau'n ddiweddarach clywodd un seiren yn uwch na'r lleill wrth iddi agosáu. Closiodd Dylan at wal siop yn ei ymyl a chiledrych yn ôl at ben y stryd lle gwelodd gar heddlu'n rhuthro heibio. Gollyngodd anadl o ryddhad a throi i'r cyfeiriad arall, i ffwrdd o'r holl gythrwfl – a gweld car heddlu yn gyrru'n syth tuag ato.

Rhewodd Dylan, yn ansicr beth i'w wneud. Camgymeriad fyddai rhedeg i ffwrdd, meddyliodd, gan y byddai hynny'n profi ei euogrwydd ac yn ei arwain yn ôl at y caffi a'r holl geir heddlu eraill.

Dim ond un peth y gallai ei wneud felly.

Camodd allan i ganol y stryd a rhedeg yn syth at y car.

'Hei! Hei!' galwodd, gan chwifio'i freichiau uwch ei ben a gorfodi'r car i aros.

Rhedodd at ddrws y gyrrwr, gan wneud yn siŵr ei fod yn cadw ei ben yn uwch na'r drws fel na allai'r plismon weld ei wyneb yn glir.

'Lan fan'na!' meddai'n wyllt, gan bwyntio i fyny'r stryd a llowcio aer i'w ysgyfaint yn union fel petai wedi bod yn rhedeg am ei fywyd. 'Maen nhw'n ymladd!'

'Ni'n gwybod,' meddai'r plismon yn ddiamynedd drwy'r ffenest agored, ei lygaid wedi'u hoelio ar ben y stryd fel pe bai'n colli allan ar rywbeth. ''Na lle ni'n mynd.'

'O, iawn,' meddai Dylan, gan gamu'n ôl a hanner troi i ffwrdd oddi wrth y car. Yna plygodd ymlaen a phwyso'i ddwylo ar ei bengliniau, ei ben yn isel wrth iddo ymladd am ei wynt.

Heb dalu'r mymryn lleiaf o sylw iddo, gyrrodd y car heddlu i ffwrdd, ei oleuadau'n fflachio a'r seiren yn sgrechian yn ddigon uchel i ddeffro'r meirw.

Cyfrodd Dylan i dri cyn sefyll i fyny'n syth a rhedeg i lawr y stryd.

Er gwaethaf yr holl sylw amlwg roedd galwad perchennog y caffi yn ei gael gan yr heddlu, roedd Dylan wedi mentro na fydden nhw'n gwybod eto beth na phwy oedd achos yr ymladd. Ond ni allai ddibynnu y byddai hynny'n parhau. Unwaith y byddai'r bobl oedd yn y caffi yn sôn wrth yr heddlu am yr helynt ac yn disgrifio'r bachgen oedd wedi bod yn ei ganol, fe fydden nhw'n siŵr o sylweddoli pwy oedd e a byddai'r ymlid yn dechrau unwaith eto.

Roedd Dylan yn benderfynol o fod ymhell i ffwrdd cyn i hynny ddigwydd.

Rhedodd nerth ei draed drwy'r strydoedd gan ochrgamu a gwau igam-ogam drwy'r degau o bobl oedd wedi ymddangos yn y ddinas yn sydyn. Roedd y siopau mawr i gyd wedi agor erbyn hyn ac yn denu'r siopwyr i chwilio am ragor o fargeinion yn sêls ddechrau'r flwyddyn.

Gobeithiai Dylan y byddai'r tyrfaoedd yn help iddo ddianc heb i'r heddlu ei weld.

Arhosodd gyda'r gweddill wrth oleuadau traffig, yn ceisio penderfynu i ba gyfeiriad y dylai fynd nesaf. Edrychodd i fyny ac i lawr y stryd yn meddwl i ba rannau o'r ddinas roedden nhw'n arwain.

Gwyddai Dylan o brofiad o chwarae gêmau cyfrifiadur fod yna berygl mewn gor-gymhlethu unrhyw ymdrech i ddianc. Droeon pan yn chwarae'r gêmau hynny roedd wedi arwain ei gymeriad drwy strydoedd rhyw ddinas rithiol dim ond i'w gael ei hun yn ôl yn yr union stryd roedd e wedi dechrau ohoni, gan ddisgyn ar ei ben i ddwylo ei elynion.

Er ei fod wedi cael ei eni a'i fagu yn Abertawe, nid oedd Dylan yn meddwl am eiliad ei fod yn gyfarwydd â phob ardal a stryd o fewn ei ffiniau. Roedd rhannau o'r ddinas yn anghyfarwydd iawn iddo am y rheswm syml nad oedd e erioed wedi cael unrhyw achos i ymweld â nhw. Doedd neb o'i ffrindiau'n byw ynddyn nhw, doedd dim siopau, canolfannau hamdden, sinema, na dim byd arall ynddyn nhw a fyddai wedi ei ddenu i fynd yno.

Roedd yna ardaloedd eraill oedd yn ddieithr iddo am fod iddyn nhw enw drwg – llefydd lle roedd cyffuriau'n rhemp a phob math o droseddau a thorcyfraith yn cael eu cyflawni. Roedd Dylan yn gwybod ers ei fod yn ddim o beth i gadw draw o'r llefydd hynny. Hyd yn hyn roedd wedi llwyddo gan ddilyn yr un llwybrau cyfarwydd o'i gartref i'r ysgol, i ganol y ddinas, i Stadiwm Liberty, heb fyth grwydro allan o'r ardaloedd diogel hynny. Ond nawr gwyddai mai yn yr ardaloedd diogel hynny oedd y peryglon mwyaf.

Erbyn hyn byddai Strachan a'r heddlu'n gwybod yn iawn, naill ai trwy Scott neu trwy ryw ffordd ddirgel arall, pa rannau o'r ddinas roedd e'n gyfarwydd â nhw; y llefydd mwyaf tebygol y byddai'n mynd i guddio ynddyn nhw. Ac roedd Dylan yn barod i fentro'u bod nhw eisoes yn chwilio amdano yn y llefydd hynny.

Efallai ei bod hi'n amser iddo ddod i adnabod y llefydd anghyfarwydd yn well, meddyliodd.

Newidiodd y golau a dechreuodd y bobl o'i gwmpas groesi'r stryd. Dilynodd Dylan nhw, yn sicr bellach i ba gyfeiriad y byddai'n mynd: i'r chwith, ac yna ar hyd...

Ond cyn i'w gynlluniau ymffurfio'n llwyr yn ei feddwl, teimlodd Dylan ias oer yn lledu ar draws ei ysgwyddau ac i lawr ei gefn.

Edrychodd o'i amgylch gan chwilio am achos y teimlad annifyr.

O'i gwmpas roedd môr o bobl yn symud yn ôl ac ymlaen, pawb wedi ymgolli mewn chwilio am fargeinion. Arhosodd ac edrych heibio i'r bobl at y ceir oedd yn disgwyl i'r golau newid. Ac yno ar ei ochr chwith gwelodd Jeep Grand Cherokee du.

13

TRODD DYLAN ei ben i ffwrdd mor gyflym ag y gallai a rhedeg ymlaen i gerdded yn ymyl gŵr a gwraig a oedd yn llwythog o fagiau siopa, gan eu defnyddio nhw i'w gysgodi rhag y Jeep. Ond yr eiliad yr oedd yn eu hymyl, sylweddolodd Dylan ei fod wedi tynnu mwy o sylw ato'i hun na phetai wedi cario ymlaen i gerdded.

Trwy gornel ei lygad gwelodd un o ddrysau'r Jeep yn agor a dyn mewn cot hir ddu yn camu i lawr i'r stryd ac yn dechrau brasgamu tuag ato.

Rhedodd Dylan am yr ochr bellaf a gwyro

i'r dde i ffwrdd oddi wrth y dyn. Ceisiodd ochrgamu a gwthio'i ffordd heibio i'r siopwyr ond roedd yn union fel rhedeg trwy driog. Âi heibio i un person ac anelu at y bwlch nesaf rhwng y siopwyr, ond cyn iddo'i gyrraedd byddai rhywun arall yn camu o'i flaen ac yn cau'r bwlch gan ei orfodi i symud naill ai i'r dde neu i'r chwith cyn y gallai fynd o gwmpas dau neu dri pherson arall.

Sôn am un cam ymlaen a phedwar cam yn ôl, meddyliodd Dylan, wrth iddo faglu heibio i wraig a tharo yn erbyn y goets roedd hi'n ei gwthio.

'Watsia lle ti'n mynd!' cyfarthodd y wraig arno.

'Sori,' meddai Dylan a syllu yn ôl i fyny'r stryd. Roedd y dyn yn y got ddu yn llythrennol ben ac ysgwydd yn dalach na'r rhan fwyaf o'r bobl oedd o'i amgylch. Ond er mor hawdd oedd hi i'w weld, doedd hynny ddim yn ei gwneud hi damaid yn haws dianc oddi wrtho.

Trodd Dylan i ffwrdd a tharo yn erbyn wal arall o gotiau a bagiau. Yn sydyn agorodd bwlch o'i flaen. Anelodd amdano, dim ond iddo gael ei gau yn glep gan ddwy ferch yn cerdded fraich ym mraich. Yr eiliad nesaf gwelodd fenyw yn cerdded yn benderfynol tuag ato ac er mwyn ei hosgoi gwyrodd tuag at un o'r siopau. Roedd drysau'r siop yn cau yn araf, a heb feddwl ddwywaith, rhedodd Dylan drwyddyn nhw.

O'r tegell i'r tân, meddyliodd, pan welodd fod y siop dan ei sang o bobl. Llifodd mwy i mewn ar ei ôl a gadawodd Dylan iddo'i hun gael ei gario ymlaen gan y don. Gwasgai pawb yn dynn o'i gwmpas, ac er bod hynny'n ei gwneud hi'n anodd i'r dyn ei weld, roedd hefyd yn ei gaethiwo.

Dechreuodd wthio yn erbyn y llif i wneud ei ffordd at ochr chwith y siop lle roedd ychydig yn llai o bobl. Ar ôl sawl bagliad, cic a rheg, gwthiodd ei hun i ganol rhes o siwmperi merched a grogai ar y wal.

Sbeciodd allan rhwng y dillad i edrych am y dyn, ond ni allai ei weld yn unman. Oedd e wedi ei ddilyn i mewn i'r siop, neu wedi cerdded heibio gan gredu bod Dylan yn parhau i gerdded i fyny'r stryd? Amhosibl gwybod, meddyliodd, ond yn sicr ni allai aros lle roedd yn disgwyl i'r dyn ymddangos. Y peth callaf i'w wneud oedd manteisio ar ei gyfle.

Yn araf camodd allan o'i guddfan a cherdded at ddrws y siop. Oedodd i weld a oedd y dyn yn sefyll tu allan, ond doedd dim golwg ohono. Arhosodd nes bod eraill yn gadael fel y gallai gydgerdded â nhw, yna trodd i'r dde a cherdded yn ôl ar hyd y ffordd roedd wedi dod.

Roedd hi'r un mor brysur y tu allan ond ni theimlai Dylan yr un pwysau arno nawr. Pan welodd fws yn gyrru heibio'n araf, neidiodd arno. Doedd ganddo mo'r syniad lleiaf i ble roedd y bws yn mynd, ond rywsut roedd ei anwybodaeth ynglŷn â phen y daith yn gweddu i'r dim i'w sefyllfa: doedd ganddo mo'r syniad lleiaf i ble roedd e'n mynd na beth roedd e'n ceisio'i wneud.

Ffolineb noeth oedd meddwl y gallai fynd i guddio yn rhywle a chael amser i gynllunio sut i orchfygu Strachan. Doedd y ffaith ei fod wedi goroesi tan hynny yn ddim byd ond hap a damwain. Yn hwyr neu'n hwyrach byddai dynion Strachan neu'r heddlu yn ei ddal, neu byddai'r pedair awr ar hugain roedd Strachan wedi eu rhoi iddo yn dod i ben.

A than hynny, doedd e'n gwneud dim byd ond dianc er mwyn dianc.

Ochneidiodd.

Rhedeg er mwyn rhedeg.

Teimlai fel petai wedi bod yn rhedeg am hanner ei fywyd. Yn gwneud dim ond rhedeg. Rhedeg y cloc lawr. Efallai fod hynny'n beth doeth i'w wneud mewn gêm rygbi, pan mae'r tîm yn ennill, ond roedd e'n colli, a doedd Alistair Strachan ddim yn chwarae gêmau. Ni allai fforddio anwybyddu ei fygythion a bywyd ei fam yn y fantol.

Trodd ei lygaid at y ceir yn y stryd, gan syllu ar oleuadau'r siopau ac ar ruthr y bobl. Roedd pawb yn rhedeg i rywle, pawb â rhywle pendant ganddyn nhw mewn golwg. Ond doedd gan Dylan unman i redeg iddo; ddim unman diogel, beth bynnag. Roedd hyd yn oed ei gartref allan o'i gyrraedd.

Roedd yr ymdeimlad o'i gartref fel lle diogel, cysurus, wedi bod yn gwegian byth ers i'w dad adael. Ond nawr, ar ôl i ddynion Strachan gipio'i fam oddi yno a lladd Simon Lewis, roedd yr ymdeimlad hwnnw wedi cilio'n llwyr – ac ni fyddai byth yn dychwelyd eto.

Teimlai nad oedd dim y gallai ei wneud bellach. Ond roedd yn rhaid iddo wneud rhywbeth; roedd ei fam yn dibynnu arno i ddod â'r llyfr i Strachan, a chan nad oedd hynny'n bosibl, roedd yn rhaid iddo wneud rhywbeth arall.

Meddyliodd am ei dad yn yr Almaen, ac am Scott yn … yn ei … fradychu.

Bradychu.

Teimlodd y gair yn crafu trwy ei feddwl ac yn dechrau dileu cymaint o atgofion da.

Bradychu.

Doedd dim gair arall i ddisgrifio'r hyn roedd Scott wedi ei wneud. Roedd ei ffrind gorau wedi ei fradychu.

Ffrind?

Doedd ganddo fawr o ffrindiau bellach. Roedd pawb yn credu ei fod e'n llofrudd. Sychodd Dylan anwedd ei anadl o'r ffenest. Teimlai fod ganddo fwy o elynion na ffrindiau. Ac os na allai ddibynnu ar ei ffrindiau i'w helpu, efallai ei bod hi'n amser iddo droi at ei elynion.

14

'HELÔ, CRAIG.'

Neidiodd Craig pan glywodd lais Dylan.

'Ti'n iawn?' gofynnodd Dylan pan na ddywedodd Craig air, dim ond syllu arno'n geg agored.

'Ar dy ffordd i'r dre?' gofynnodd Dylan.

'E?' llwyddodd Craig i'w ddweud ar ôl i Dylan ailadrodd y cwestiwn.

'Ti'n mynd i'r dre?' gofynnodd Dylan am yr ail dro.

Nodiodd Craig.

'Alla i ddod gyda ti?'

'E?'

Estynnodd Dylan ei law tuag ato ond tynnodd Craig ei fraich yn ôl fel petai wedi cael sioc drydanol.

'Dere mlaen, 'te,' meddai Dylan, gan gadw ei law allan.

Dechreuodd Craig gerdded, gan wneud yn siŵr ei fod yn cadw allan o gyrraedd Dylan.

'Ro'n i'n meddwl y byddet ti wedi mynd i'r dre cyn hyn,' meddai Dylan, gan ei ddilyn. 'Dwi wedi bod yn aros dros awr amdanat ti.'

'Beth?' tagodd Craig gan edrych ar Dylan

ond yn dal yn gofalu cadw mwy na hyd braich oddi wrtho. 'Ti 'di bod yn sefyll tu fas i'n tŷ ni am awr?'

'Hy, hy,' meddai Dylan, gan nodio a gwenu.

Doedd hynny ddim yn wir. Doedd Dylan ddim wedi bod yno fwy na chwarter awr, ond fyddai ddim yn beth drwg petai Craig yn meddwl ei fod e wedi bod yno'n gwylio'i dŷ am yr awr ddiwethaf.

'Pam?' meddai Craig, ei lais yn denau a phryderus.

'Oes angen rheswm?' gofynnodd Dylan. 'Ni'n ffrindiau, on'd y'n ni?'

Edrychodd Craig yn anghrediniol ar Dylan.

'On'd y'n ni?' gofynnodd Dylan eto.

'Ydyn,' meddai Craig, ond roedd yna farc cwestiwn amlwg yn ei lais.

Cerddodd y ddau ymlaen yn dawel am ychydig, wedi ymgolli yn eu meddyliau. Roedd Craig yn ymladd i'w gadw'i hun rhag colli ei ben tra ar yr un pryd yn trio'i orau i anfon neges i Mit a Stac heb dynnu ei ffôn allan o'i boced. Ac roedd Dylan yn ceisio'i berswadio'i hun ei fod wedi gwneud y dewis cywir pan ddewisodd Craig fel rhywun a allai ei helpu.

Wrth i'r bws yrru allan o ganol y ddinas,

roedd Dylan wedi penderfynu bod yn rhaid iddo wneud rhywbeth pendant yn lle rhedeg rownd a rownd fel ci yn cwrso'i gynffon. A phan sylweddolodd fod y bws yn mynd heibio i'r stryd lle roedd Craig yn byw, dechreuodd y darnau ddisgyn i'w lle a gwelodd Dylan ffordd gadarnhaol o ymateb i erlid Alistair Strachan.

'Be gest ti gyda Siôn Corn?' gofynnodd Dylan i Craig ar ôl rhai munudau o dawelwch.

'Beth?' meddai Craig a oedd newydd deipio 'drexhi gqrff sfo' ar ei ffôn yn lle 'dewch i gwrdd â fi' ac yn ceisio canolbwyntio ar ei air nesaf.

'Nadolig. Pa anrhegion gest ti?'

Cododd Craig ei ysgwyddau. 'Ti'n gwybod, gêmau cyfrifiadur a DVDs.'

'Gest ti arian?'

'Do, peth,' meddai, cyn ychwanegu, 'ond mae'n well 'da fi gael pethe nag arian.'

'A finne,' meddai Dylan. 'Ond fe gest ti arian, on'd do fe?'

'Do.'

'Faint?'

'Beth?'

'Faint o arian gest ti?'

'Pam?'

'Am fod eisie peth arna i.'

Baglodd Craig ar gornel y pafin a disgyn ar ei bengliniau.

Estynnodd Dylan ei law i'w helpu i godi. 'Ti'n iawn?'

'Ydw,' meddai Craig, gan gropian i ffwrdd.

Camodd Dylan yn ôl ac aros i Craig godi ar ei draed.

'Wel?' meddai.

'Ddim llawer.'

'Faint?'

'Cant pedwar deg.'

''Na'i gyd?'

'Ie.'

'Ydy e gyda ti?'

'Nagyw. Mae Mam am i fi ei roi e yn y gymdeithas adeiladu,' meddai Craig, yn amlwg yn meddwl bod cael arian yn anrheg yn werth dim os oedd e'n gorfod ei gynilo yn hytrach na'i wario.

'Wel, dwi eisie fe.'

'Pam ddylen i ei roi e i ti?' gofynnodd Craig, gan fagu ychydig o asgwrn cefn nawr ei fod yn wynebu colli ei arian – am yr ail waith.

'Ti 'di bod yn edrych ar y teledu yn ddiweddar, Craig?'

'Ydw.'

'Rhywbeth ar wahân i Cyw, dwi'n feddwl. Y newyddion, er enghraifft.'

Nodiodd Craig.

'Felly ti'n gwybod bod yr heddlu'n chwilio amdana i.'

Nodiodd Craig unwaith eto.

'Am ladd rhywun,' meddai Dylan.

'Ond ddim ti nath, ife?'

'Wel, dyna beth ma'r heddlu'n 'i feddwl.'

'Ie, dwi'n gwybod, ond wnest ti ddim, do fe?'

'Be ti'n feddwl, Craig?'

Llyfodd Craig ei wefusau'n nerfus cyn llyncu ei boer, ond ni ddywedodd ddim.

'Ti'n deall nawr pam fod eisie arian arna i?' meddai Dylan. 'Os nad wyt ti'n fy nghredu i, a ni'n dau yn ffrindiau, pa obaith sy gyda fi o berswadio'r heddlu nad fi laddodd y dyn?'

'Ond pam wyt ti eisie'r arian?'

'I adael Abertawe, i brynu tocyn trên i Fanceinion i fynd at Dad. Ydy dy ffôn gyda ti?'

'Ti ddim yn cael hwnnw,' protestiodd Craig.

'Dwi ddim eisie fe, dim ond dy rif, fel y galla i dy ffonio di nes mla'n i drefnu cwrdd i ddod i gasglu'r arian.' A thynnodd y ffôn roedd ei dad wedi ei brynu iddo y diwrnod cynt o'i boced.

'Ond pam fi? Pam nad wyt ti'n gofyn i Scott? O'n i'n meddwl mai fe oedd dy ffrind di.'

'Hy!' meddai Dylan. 'Ro'n *i*'n meddwl hynny 'fyd! Ond dwi dim yn credu y galla i 'i drystio fe nawr, yn enwedig gan fod yr heddlu'n cynnig arian i unrhyw un sy'n dweud wrthyn nhw ble allan nhw gael gafael arna i. Dwi'n credu bod Scott wedi dweud wrthyn nhw unwaith yn barod.'

'Naddo, do fe?' meddai Craig yn syn.

'Do, dwi'n meddwl,' meddai Dylan. 'Alla i gael dy rif di?'

'O, ie,' meddai Craig braidd yn freuddwydiol, fel pe bai'n meddwl am rywbeth arall. Tynnodd y ffôn o'i boced a'i estyn i Dylan.

'Ti'n gwybod faint o arian mae'r heddlu'n 'i gynnig am wybodaeth?' gofynnodd Craig ar ôl i Dylan ychwanegu'r rhif i'r ffôn.

'Deg mil,' meddai Dylan, gan ffonio ffôn Craig er mwyn gwneud yn siŵr ei fod wedi teipio'r rhif yn gywir.

'O bunnau?' ebychodd Craig, yn methu cadw'r syndod o'i lais.

'Ie, dwi'n meddwl,' meddai Dylan, gan ddiffodd ei ffôn a gwneud yn siŵr ei fod yn hollol farw unwaith y dechreuodd ffôn Craig ganu. 'Ond dyw hynny ddim yn dy demtio di, yw e?'

'Wrth gwrs nad yw e,' meddai Craig, yn amlwg wedi ei frifo bod Dylan yn gallu meddwl y fath beth.

'Wela i di, 'te,' meddai Dylan pan gyrhaeddodd y ddau ben y stryd.

'Hei, na!' galwodd Craig ar ei ôl. 'Ble ti'n mynd?'

'Paid poeni amdana i. Cer di i nôl yr arian ac fe ffonia i di.'

'Ie, ond...' dechreuodd Craig, ond roedd Dylan eisoes yn rhedeg i ffwrdd i'r cyfeiriad arall.

Roedd Dylan hanner ffordd i fyny'r stryd nesaf cyn iddo sylweddoli ei fod yn rhedeg. Arhosodd a dechrau cerdded mor naturiol ag y gallai.

15

EDRYCHODD DYLAN ar y cloc yn y
bwyty; roedd hi'n chwarter i ddau, tair awr
a hanner ers iddo adael Craig. Yn ystod yr
amser hwnnw roedd wedi cerdded i ogledd y
ddinas, i gyfeiriad Stadiwm Liberty. Roedd
wedi aros ddwywaith ar y ffordd, y tro
cyntaf i brynu cap gwlân y Gweilch, yn lle'r
un roedd wedi ei adael yn y fflat, a'r ail dro i
brynu sbectol ddarllen barod, y rhai gwannaf
posibl a fyddai'n newid ei olwg ond nid yn ei
rwystro rhag gweld. Ac felly, gan obeithio na
fyddai neb a welodd ei lun ar y newyddion yn
ei adnabod, cyrhaeddodd Dylan Barc Siopa'r
Morfa a mynd i mewn i fwyty KFC.

Er nad oedd wedi dweud wrth Craig, roedd
Dylan wedi penderfynu rhoi tair awr iddo
cyn y byddai'n ei ffonio i drefnu cyfarfod.
Fe ddylai hynny fod yn hen ddigon o amser,
hyd yn oed i Craig. Efallai nad oedd ganddo
feddwl miniog, treiddgar, ond fe ddylai
gyflawni'r hyn roedd Dylan yn disgwyl iddo'i
wneud o fewn yr amser hwnnw. Yn wir roedd
Dylan yn dibynnu arno.

Bwytaodd un o'i sglodion ac yfed ychydig

o'i ddiod Pepsi. Er bod angen y bwyd arno, roedd hi'n bwysicach ei fod yn gwneud iddo bara fel y gallai aros yno tan y funud olaf. Dim ond iddo gadw'n dawel ac eistedd allan o'r ffordd yn y gornel, fe fyddai popeth yn iawn, meddyliodd.

Ond a *fyddai* popeth yn iawn?

Dechreuodd boeni am ei gynllun unwaith eto. Ychydig oedd wedi mynd yn iawn iddo dros y bythefnos ddiwethaf, felly pam ddylai pethau newid nawr? A allai ef, ar ei ben ei hun, lwyddo yn erbyn holl ddynion ac adnoddau 3G a'r heddlu?

Llifodd ton o unigrwydd drosto.

Roedd e'n wir ar ei ben ei hun, heb neb i droi ato, ddim ei dad na'i fam. Cofiodd am y ffordd roedd y fenyw ar y teledu wedi lladd arnyn nhw. Teimlai Dylan yn ddig iawn tuag ati a'r holl gelwydd roedd hi wedi ei ddweud; celwydd y byddai mwyafrif y bobl a welodd y rhaglen yn ei gredu hyd yn oed petai e'n llwyddo i brofi mai Alistair Strachan oedd yn gyfrifol am lofruddio Simon Lewis yn y fflat.

Yfodd Dylan ychydig mwy o'i ddiod a cheisio cofio wyneb y fenyw. Gallai ei gicio'i hun nawr am beidio â thalu mwy o sylw i'r eitem newyddion. Pwy oedd hi a pham oedd hi yno'n siarad â'r fath awdurdod amdano ef a'i deulu? Cofiodd fod y cyflwynydd wedi ei galw hi'n Dr Groves, ond doedd e ddim yn adnabod neb o'r enw hwnnw, nac wedi dod ar draws yr enw mewn cysylltiad â 3G na'r llyfr.

Felly pwy oedd hi? A oedd hi'n perthyn i 3G ac yn gyfrifol am greu'r celwyddau, neu ai dim ond eu lledu nhw oedd hi? Ac os mai eu lledu nhw oedd hi, ar ran pwy oedd hi'n gwneud hynny?

'Oes rhywun yn eistedd fan hyn?'

Edrychodd Dylan i fyny a gweld dwy ferch yn eu harddegau hŷn yn sefyll yn ymyl y bwrdd.

'Beth?'

'Ti ddim yn cadw lle i rywun, wyt ti?'

'Nadw,' a symudodd fymryn yn agosach at y wal er mwyn i'r merched gael eistedd yn wynebu ei gilydd.

Am eiliad teimlai'n ddig gyda'r ddwy am darfu arno. Ond yna sylweddolodd y gallai fod o fantais iddo. Gallai guddio y tu ôl iddyn nhw, gan ei wneud yn un o dri, ac nid yn fachgen ar ei ben ei hun.

O'r eiliad gyntaf yr eisteddodd y merched

dechreuodd y ddwy siarad – am ddillad, eu ffrindiau, selebs, bechgyn a rhaglenni teledu realiti. Am ychydig roedd Dylan yn mwynhau gwrando ar eu sgwrsio ac yn dysgu llawer am bob math o bethau. Teimlai dros fachgen o'r enw Richard Jones a oedd yn cael ei enllibio'n ofnadwy gan y ferch a eisteddai yn ei ymyl. Ond nid oedd y ferch arall yn dweud dim byd drwg amdano, a oedd yn awgrymu i Dylan ei bod hi'n eitha hoff ohono.

Cododd ei ddiod gan giledrych ar y ferch, ac wrth iddo nodi siâp ei phen a lliw melyn ei gwallt byr, fe'i trawyd gan ei thebygrwydd i Anna. Dechreuodd feddwl amdani a cheisio dyfalu ymhle y gallai fod, ac a oedd hi hyd yn oed yn fyw.

Yn sicr roedd hi'n fyw pan dynnodd Dylan hi allan o'r car ar ôl y ddamwain, ond gan ei bod hi wedi diflannu pan ddychwelodd i'r car, nid oedd ganddo'r syniad lleiaf beth oedd wedi digwydd iddi. Efallai ei bod hi wedi dod ati hi ei hun a dianc, neu gallai fod yn dal i orwedd mewn ffos rywle ar Benrhyn Gŵyr.

A fyddai enw Anna yn cael ei ychwanegu at y rhestr hir o bobl roedd Alistair Strachan yn gyfrifol am eu marwolaeth? Dychmygodd

wyneb Anna y tro olaf roedd e wedi'i gweld hi
– y clwyf ar ei thalcen a'r gwaed yn llifo i lawr
ei hwyneb.

'Anna!' meddai wrtho'i hun, wrth i'w
atgof o'i hwyneb ddechrau newid. Ond cyn i
Dylan ddeall yn iawn beth oedd yn digwydd,
torrodd llais ar draws ei fyfyrio.

'Ti eisie llun?'

'Be…?' dechreuodd Dylan, cyn sylweddoli
ei fod wedi bod yn edrych yn rhy galed ar y
ferch â'r gwallt melyn byr a'i bod hi wedi ei
ddal yn syllu arni.

'Na.'

'Wel paid syllu 'te.'

'Sori,' meddai Dylan, gan dynnu'r sbectol
a'i rhoi ar y bwrdd. Er nad oedd y lensiau'n
drwchus, roedd gwisgo'r sbectol am bron
i ddwy awr yn straen. Caeodd ei lygaid a
gwasgu eu hymylon.

Estynnodd am ei sglodion a phwyso'n ôl
yn ei sedd. Cofiodd am Craig ac agorodd ei
lygaid i edrych ar ei oriawr i weld faint o'r
gloch oedd hi erbyn hyn.

'Dwi'n dy nabod di.'

Edrychodd Dylan ar y ferch â'r gwallt
melyn; hi oedd yn syllu arno ef nawr.

'Na, dwi ddim yn meddwl,' meddai Dylan, gan gydio yn y sbectol a'i rhoi yn ôl ar ei drwyn.

'Ydw, dwi'n siŵr,' mynnodd y ferch.

Cydiodd Dylan yn ei ddiod a chodi o'r sedd. 'Esgusoda fi,' meddai wrth y ferch yn ei ymyl.

'I ba ysgol wyt ti'n mynd?' gofynnodd y llall.

'Ga i basio, plîs?'

'Beth yw dy frys di?' meddai hi wrtho.

'Dwi'n gorfod cyfarfod â 'nhad.'

'Pryd?'

'Nawr. Ga i basio?'

Ond ni symudodd y ferch.

'Wyt ti'n nabod Gruff, 'y mrawd i?' gofynnodd y ferch â'r gwallt melyn. 'Wyt ti'n ffrindie gydag e?'

'Nadw. Dwi ddim yn nabod neb o'r enw Gruff,' meddai Dylan, gan droi cwpan cardfwrdd ei ddiod yn ei ddwylo.

'Ti wedi bod yn ein tŷ ni, on'd wyt ti?'

'Ga i basio?'

'Dyna lle dwi wedi dy weld di, yn ein tŷ ni.'

Ie, ar y teledu, fwy na thebyg, meddyliodd Dylan.

'Ti'n edrych yn gyfarwydd i…' dechreuodd y ferch yn ymyl Dylan, ond ni chafodd gyfle i orffen y frawddeg cyn i Dylan wasgu'r cwpan cardfwrdd ac arllwys y ddiod yn ei chôl.

'Aaaaaaaaa!' sgrechiodd y ferch a neidio allan o'i sedd.

Trodd pawb yn y bwyty i edrych arnyn nhw, ond cyn i unrhyw un gael cyfle i ymateb, roedd Dylan yn rhedeg am y drws.

16

OND NI redodd ymhell.

Tu allan i'r bwyty, trodd i'r chwith i mewn i'r maes parcio a oedd hefyd yn faes parcio i sawl caffi arall a'r siopau oedd ar y Morfa. Roedd degau o geir wedi'u parcio yma a thraw, ond roedd y mwyafrif ohonyn nhw yn y canol. Yn eu plith roedd bws mini. Anelodd Dylan tuag ato.

Roedd y bws yn ddigon uchel i Dylan guddio y tu ôl iddo ac ar yr un pryd edrych drwy'r ffenestri yn ôl ar draws y maes parcio at y bwyty. Ac roedd gweld pwy oedd yn mynd a dod o KFC yn rhan bwysig o'i gynllun.

Roedd yr helynt gyda'r ddwy ferch wedi bod yn niwsans ond ddim yn fwy na hynny, ac roedd y ffaith nad oedd neb wedi ei herio nac wedi rhedeg ar ei ôl ers iddo adael y bwyty yn brawf o hynny. Roedd hi'n llawer gwell gan y mwyafrif o bobl syllu a pheidio ag ymyrryd yn helyntion pobl eraill, ac roedd hi'n amlwg bod 'rhyngddyn nhw a'u busnes' yn arwyddair i nifer o'r rhai oedd yn KFC.

Pwysodd Dylan yn erbyn y bws ac edrych ar ei oriawr. Roedd hi'n amser. Tynnodd ei ffôn o'i boced a chwilio am rif Craig.

'Craig?' meddai pan atebwyd yr alwad.

'Ie.'

'Ydy'r arian gyda ti?'

'Ydy.' Dim eiliad o oedi, na gair o gŵyn na phrotest. Gwenodd Dylan.

'Diolch, Craig. Dwi'n sylweddoli nawr pwy yw'n ffrind gore i.'

'Ie, wel...' meddai Craig braidd yn lletchwith.

'Na, mae'n wir, a dwi am i ti wybod hynny,' meddai Dylan, gan wneud ei orau i gadw ei lais yn ddifrifol. Bu'n rhaid iddo gyfrif i dri cyn gofyn, 'Faint sy gyda ti?'

'Beth?'

'Faint o arian sy gyda ti?'

'Fel dwedes i, cant pedwar deg.'

'Ie, ond dim ond dy arian Nadolig oedd hynny. Does gyda ti ddim byd arall?' gofynnodd Dylan gan swnio'n siomedig. 'Rhywfaint rwyt ti wedi bod yn ei gynilo, ei guddio oddi wrth dy fam?'

Nid atebodd Craig.

'Craig? Wyt ti 'na?'

'Ydw.'

'Mae angen mwy na chant pedwar deg punt arna i. Dim ond digon i brynu'r tocyn trên i Fanceinion yw hynny. Os na fydd 'y 'nhad i yno, bydd rhaid i fi aros yn rhywle a thalu am…'

'Dau gant.'

'Beth?'

'Alla i roi dau gant arall i ti.'

'Ti'n siŵr?'

'Ydw.'

'Dau gant?'

'Ie. Pam lai?'

Pam lai yn wir, meddyliodd Dylan. Wedi'r cyfan, doedden nhw ddim yn sôn am arian go iawn. Gwenodd unwaith eto – fel giât y tro hwn.

'Diolch, Craig, wna i ddim anghofio hyn.

Alli di ddod â'r arian ata i? Dwi ddim am fentro dod 'nôl i dy dŷ di.'

'Ie, iawn, siŵr, dwi'n deall yn iawn. Ble wyt ti?'

'Yn KFC lan yn y Morfa. Ti'n gwybod, yn y parc siopa ar bwys Stadiwm Liberty.'

'Ydw, dwi'n gwybod.'

'Alla i ddod mas i'r maes parcio i gwrdd â ti, os bydde hynny'n well 'da ti.'

Unwaith eto roedd Craig yn dawel.

'Craig?'

'Na, mae'n iawn. Arhosa di yn KFC; bydd hi'n haws i fi dy ffindio di fan'na.'

'Iawn. A Craig? Cofia, unwaith bydd hyn drosodd, dwi'n addo...'

Ond doedd Craig ddim yn gwrando; roedd wedi diffodd ei ffôn.

Diffoddodd Dylan ei ffôn yntau a chadw ei fys ar y botwm nes bod y sgrîn yn ddu ac yn hollol farw cyn ei roi yn ei boced.

Ceisiodd ddychmygu Craig yn rhedeg allan o'i dŷ ac yn rhuthro cyn gynted ag y gallai i'r Morfa. Sut oedd e'n bwriadu dod, tybed? Gofyn i'w dad am lifft? Neu ddod ar ei feic? Gwenodd Dylan wrth ddychmygu Craig yn seiclo ar draws y ddinas.

'Wel, dyw hwnna ddim yn mynd i ddigwydd, yw e?' meddai wrtho'i hun. Ac roedd Dylan wedi bod yn berffaith siŵr o hynny o'r eiliad y clywodd Craig yn dweud, 'Ie. Pam lai?' i'w gais am fwy o arian. Roedd y tri gair hynny'n ddigon i Dylan wybod bod ei gynllun yn mynd i weithio.

Ond dim ond rhan gyntaf ei gynllun oedd perswadio Craig i fenthyca'r arian iddo; roedd hi nawr yn amser iddo ganolbwyntio ar y rhan nesaf, y rhan anoddaf. Erbyn pryd y dylai ofyn i'r tacsi ddod i'w gasglu? Roedd yr amseriad yn mynd i fod yn hollbwysig.

Faint o daith oedd hi o ganol y ddinas i'r Morfa? Ei cherdded roedd Dylan wedi gwneud y prynhawn hwnnw, ac oherwydd hynny nid oedd yr amser a gymerodd yn berthnasol i'w gynllun.

Tra oedd yn bwyta ei fwyd yn KFC, roedd Dylan wedi ceisio cofio'r adegau pan oedd e wedi gwneud y daith yn y car gyda'i dad; y troeon roedden nhw wedi mynd i weld y Gweilch neu'r Elyrch yn chwarae. Faint o amser oedd hi wedi cymryd iddyn nhw? Doedd e ddim am i'r tacsi gyrraedd yn rhy gynnar, ond wedyn ni allai ei gadael yn rhy hir cyn ffonio, chwaith, rhag ofn y byddai'n hwyr yn cyrraedd.

Gwell bod yn rhy gynnar nag yn rhy hwyr, meddyliodd, a phenderfynodd wneud yr alwad. Tynnodd y ffôn roedd e wedi ei gael gan Scott o'i boced a gwasgu'r rhif roedd e wedi ei gael a'i gadw'n gynharach.

'I ble wyt ti am i ni ddod?' gofynnodd y ferch ar ben arall y ffôn.

Edrychodd Dylan y tu ôl iddo a gweld arwydd mawr Currys PC World.

'O flaen PC World,' meddai.

'Iawn.'

'Ddim hwyrach na chwarter awr,' pwysleisiodd Dylan.

'Ie, iawn,' meddai'r ferch. 'Fe newn ni'n gore.'

Diffoddodd Dylan y ffôn a throi yn ôl i edrych i gyfeiriad KFC.

Roedd llif cyson o gwsmeriaid yn parhau i gyrraedd a gadael y bwyty, ond teuluoedd oedden nhw, neu grwpiau o blant ysgol a phobl ifanc, nid amdanyn nhw roedd Dylan yn chwilio. Ni fu'n rhaid iddo aros yn hir. Llai na deg munud ar ôl iddo ffonio Craig i drefnu'r cyfarfod, gwelodd Dylan y Jeep Grand

Cherokee du yn troi i mewn o'r cylchdro, gan yrru yn syth ymlaen at ddrws KFC.

17

CYFLYMODD CURIADAU calon Dylan pan stopiodd y Jeep, a neidiodd tri dyn mewn siwtiau tywyll allan ohono. Brasgamodd y tri yn benderfynol, ond eto heb unrhyw arwydd o frys, i mewn i'r bwyty. Arhosodd y Jeep lle roedd, ei oleuadau'n goleuo drws KFC tra cadwai'r gyrrwr ei lygad ar bawb a ddôi allan, rhag ofn y byddai Dylan yn llwyddo i sleifio heibio i'w gydweithwyr.

Faint o amser fyddai hi'n cymryd i'r dynion ddeall nad oedd e yn y caffi? meddyliodd Dylan. Cyn y bydden nhw'n sylweddoli bod Craig wedi cael ei dwyllo a'i fod ef yn ei dro wedi eu twyllo nhw?

Gwyddai ei bod hi'n cymryd mwy o amser i beidio â dod o hyd i rywbeth nag i ddod o hyd iddo. Unwaith mae rhywun yn cael gafael ar yr hyn mae'n chwilio amdano, mae'r chwilio drosodd. Ond o fethu dod o hyd iddo mae'r chwilio'n parhau. Ond am ba hyd y byddai dynion 3G yn parhau i chwilio amdano yn y bwyty? Dyna'r rhan o'i gynllun nad oedd gan Dylan ddim rheolaeth drosti.

Roedd hyn yn wahanol i dwyllo Craig. Gwyddai y byddai Craig yn fwy na pharod i'w fradychu i Strachan, yn enwedig pe bai'n meddwl y câi ei dalu am wneud hynny. Doedd gan Dylan ddim syniad a oedd 3G yn cynnig tâl am ei ddal, ond unwaith roedd e wedi plannu'r syniad hwnnw ym meddwl Craig, gwyddai y byddai'n plagio ac yn plagio Strachan nes y byddai'n addo rhywbeth iddo. Ac unwaith eto roedd Dylan yr un mor siŵr y byddai Strachan yn fwy na pharod i addo'r byd i Craig pe bai'n gallu eu harwain ato.

Yn ogystal â gwylio'r Jeep, gwibiai llygaid Dylan yn ôl ac ymlaen at fynedfa'r parc siopa wrth iddo ddisgwyl am y tacsi. Roedd sawl un wedi cyrraedd yn ystod y munudau diwethaf, gan gynnwys un neu ddau o geir y cwmni roedd ef wedi'i ffonio, ond nid oedd un ohonyn nhw wedi gyrru i gyfeiriad PC World. Ac roedd yr amser y byddai'r tacsi'n cyrraedd a'r amser y byddai'r gyrrwr yn barod i aros, yn hollbwysig i lwyddiant ei gynllun.

Pan na fyddai dynion 3G yn dod o hyd

iddo yn KFC roedd Dylan yn dibynnu arnyn nhw i yrru'n syth yn ôl at Alistair Strachan i roi adroddiad o'u methiant iddo. Roedd e am eu dilyn ar y daith honno, a dyna pam roedd angen y tacsi arno, gan mai hwnnw fyddai ei unig obaith o'u dilyn drwy strydoedd Abertawe ac efallai allan i'r wlad tu hwnt i ffiniau'r ddinas.

Daeth un o'r dynion allan o'r bwyty a cherdded at y Jeep. Siaradodd â'r gyrrwr am ychydig, fwy na thebyg i wneud yn siŵr nad oedd Dylan wedi dod allan, yna aeth yn ôl i mewn.

Yr eiliad nesaf sylwodd Dylan ar dacsi'n gyrru i mewn i'r parc gan ddilyn y ffordd y tu ôl iddo ac aros o flaen drysau PC World.

Trodd yn ôl at y Jeep. Roedd y dynion yn dal i chwilio amdano yn KFC; gallai eu dychmygu'n syllu'n fanwl ar bob bachgen yn ei arddegau cynnar, yn mynd i mewn ac allan o'r tŷ bach, yn gwthio'u ffordd heibio i'r staff i mewn i'r gegin. Faint o amser fyddai cyn y byddai pobl yn blino arnyn nhw, a'r rheolwr yn gofyn iddyn nhw adael?

Edrychodd Dylan dros ei ysgwydd ar y tacsi. Roedd yn dal yno, ond am ba hyd?

Trodd yn ôl at y Jeep. Roedd dau o'r dynion wedi dod allan o'r bwyty; un ohonyn nhw'n siarad â'r gyrrwr tra safai'r llall ychydig i ffwrdd, allan o olau'r Jeep, ei lygaid yn sganio'r maes parcio.

Symudodd Dylan i'r ochr, i ffwrdd o'r ffenest, a'i gefn at y bws yn wynebu PC World. Roedd y tacsi'n dal yno ond roedd gwraig yn cario dau fag siopa mawr, llawn, trwm, yn croesi'r ffordd tuag ato.

Edrychodd yn ôl i gyfeiriad y Jeep. Nid oedd yr un o'r dynion i'w weld. Ble oedden nhw? Yn ôl yn y bwyty yn rhoi un ymgais arall ar ddod o hyd iddo?

Tu ôl iddo roedd y wraig yn siarad â gyrrwr y tacsi.

Doedd dal ddim sôn am y dynion, ond yna gwelodd Dylan lampau cefn y Jeep yn goleuo a'r cerbyd yn cefnu allan o'r ffordd a arweiniai at KFC.

Oedodd am eiliad i weld i ba gyfeiriad roedd y Jeep yn mynd cyn gadael ei guddfan am y tacsi.

Roedd y wraig wedi agor drws cefn y car ac yn dechrau rhoi ei bagiau ynddo.

'Na!' galwodd Dylan, gan redeg tuag ati.

Caeodd y wraig y drws a cherdded heibio blaen y car at y sedd flaen.

Camodd Dylan allan o'r maes parcio ac i'r ffordd.

BLAAAAAAA!

Ffrwydrodd sŵn corn car yn ei ymyl gan ei orfodi i gamu'n ôl o'r ffordd.

'Watsia lle ti'n mynd!' galwodd y gyrrwr arno ac arhosodd Dylan lle roedd nes i'r car ei basio, ond erbyn hynny roedd y tacsi hefyd yn gyrru i ffwrdd.

Safodd Dylan ar ganol y ffordd yn edrych arno'n pellhau. Ei gynllun yn deilchion a'i unig obaith o fynd â'r frwydr at Strachan yn diflannu i dywyllwch y nos.

Clywodd sŵn car arall yn cychwyn y tu ôl iddo yn y maes parcio, ac wrth iddo weld ei oleuadau'n ysgubo heibio iddo cerddodd Dylan allan o'r ffordd yn benisel a'i feddyliau ar chwâl.

Ni sylwodd ar y car yn arafu nac yn aros wrth ei ochr. Ni welodd y ffenest yn llithro ar agor chwaith, ond yna clywodd lais yn dweud, 'Dylan, well i ti 'i siapo hi os y'n ni'n mynd i ddal lan 'da'r Jeep.'

Ac wrth i'r geiriau ddechrau gwneud

synnwyr yn ei ben, sylweddolodd Dylan mai Anna oedd y gyrrwr.

18

'ANNA!' ebychodd Dylan, gan ddringo i mewn i'r car. 'Beth wyt ti'n wneud 'ma?'

'Glou!' oedd yr unig ymateb a gafodd ganddi. Yr eiliad y caeodd y drws gwasgodd Anna ar y sbardun. Sgrialodd y teiars a saethodd y car ymlaen. Llywiodd Anna'r car yn feistrolgar rhwng trafnidiaeth y ganolfan siopa ac allan i'r briffordd.

Daliodd Dylan ei anadl sawl gwaith yn ystod y munudau nesaf wrth iddyn nhw yrru ar ras ar hyd Ffordd Brunel i gyfeiriad yr A4217. Ddylwn i wybod yn well, meddai wrtho'i hun, gan gofio am eu taith o Abertawe i Benrhyn Gŵyr a'i gyfarfod â Geraint Harris. Anna oedd yn gyrru y pryd hwnnw hefyd ac roedd Dylan wedi rhyfeddu at ei sgiliau. Ond yna cofiodd mai Anna oedd yn gyrru ar eu ffordd yn ôl o dŷ ei thad pan...

'Be ddigwyddodd i ti ar ôl y ddamwain?' gofynnodd Dylan iddi.

Roedd Anna'n canolbwyntio ar y ffordd, ac nid edrychai fel ei bod wedi clywed ei gwestiwn. Cyrhaeddodd y car gylchdro a saethodd Anna drwyddo, centimetrau yn unig o flaen fan wen a ddaeth ar ei hochr dde o'r ffordd a arweiniai i Stadiwm Liberty. Canodd hwnnw ei gorn ond ni chymerodd Anna sylw ohono, dim ond bwrw ymlaen tuag at yr A4217. Cadwodd Dylan yn dawel a syllu'n galed drwy ffenest flaen y car yn chwilio am y Jeep yng nghanol y ceir a'r faniau eraill oedd ar y ffordd, ond heb ei gweld.

Yna wrth iddyn nhw agosáu at gyffordd i'r A4217 fe'i gwelodd hi.

''Co hi!' gwaeddodd. 'Y Jeep. Mae hi... chwe char o'n blaen ni.'

'Dwi'n gwybod,' meddai Anna, ei hosgo'n llawer llai difrifol nawr ei bod yn gwybod nad oedd hi wedi colli'r Jeep.

'Wel?' meddai Dylan. 'Wyt ti'n barod i ddweud wrtha i be ddigwyddodd i ti ar ôl y ddamwain?'

Roedden nhw'n agosáu at yr A4217. Cadwodd Anna ei llygaid ar y Jeep am rai eiliadau er mwyn gwneud yn siŵr i ba gyfeiriad roedd hi'n teithio, cyn ymlacio ychydig a rhoi ei sylw i Dylan.

'Wel, ar ôl i fi sylweddoli dy fod ti wedi 'ngadael i...'

'Do'n i ddim wedi dy adael di,' protestiodd Dylan. 'Ar ôl i fi dy dynnu di'n anymwybodol allan o'r car fe es i chwilio am help.'

'A 'ngadael i yng nghanol y cae.'

'Ond oedd rhaid i fi os o'n i...' a sylweddolodd Dylan mai tynnu ei goes oedd Anna ac nad oedd hi wir wedi digio gydag ef. 'Ond ble o't ti pan ddes i 'nôl?'

'Ddest ti 'nôl at y car?' gofynnodd Anna, yn amlwg yn synnu ei fod e wedi mentro gwneud hynny.

'Do, ar ôl gweld mai Jeep 3G oedd yn gyfrifol am y ddamwain, a bod un o'r dynion wedi mynd i chwilio am y car. Ond pan gyrhaeddes i yno ro't ti wedi diflannu.'

'Do'n i ddim yn anymwybodol yn hir a phan ddeffres i a sylweddoli dy fod ti wedi mynd...'

'I chwilio am help.'

'Dyna beth o'n i'n mynd i'w wneud hefyd, ond pan o'n i'n cerdded i fyny'r cae fe welais i un o ddynion 3G yn cerdded i lawr i gyfeiriad y car. Welodd e mohona i ac fe ges i gyfle i wthio drwy fwlch yn y clawdd i mewn i'r cae nesa.'

'Do'n i ddim yn gwybod hynny, ac ro'n i'n ofni y bydde fe'n dy weld di ar bwys y car,' meddai Dylan. 'Dyna pam es i 'nôl.'

'Ac ro'n *i'n* meddwl y bydde fe'n dod o hyd i *ti* pan...' Tawelodd, ac ar ôl edrych ar Dylan yn gyflym, ddwywaith, dywedodd, 'Dath e o hyd i ti, ond dofe?'

'Do.'

'Beth...? Sut lwyddest ti...?' Ceisiodd Anna ddewis ei geiriau. 'Wel, mae'n amlwg dy fod ti wedi llwyddo i ddianc.'

'Do.' Ac roedd hi hefyd yn amlwg nad oedd Dylan am ddweud mwy am y digwyddiad. Roedd e wedi gwneud ei orau i wthio i gefn ei gof y ffaith ei fod wedi gorfod taro'r dyn ar ei ben â charreg er mwyn dianc, ac nid oedd am ail-fyw hynny eto.

Gyrrodd Anna ymlaen yn dawel am ychydig, yn llywio'r car o fewn tri cherbyd i'r Jeep a oedd yn agosáu at dwnnel dan y rheilffordd cyn cyrraedd Ffordd Castell-nedd. Canolbwyntiodd Anna yn galed eto ar y Jeep nes ei bod hi'n gwybod i ba gyfeiriad roedd am droi ar ôl cyrraedd y gyffordd, a phan welodd fod y gyrrwr yn arwyddo i'r chwith ac yn ôl am y ddinas, ymlaciodd unwaith eto.

'Dyna pryd canes i gorn y Jeep,' meddai. 'Er mwyn tynnu'u sylw nhw oddi wrthot ti.'

'Ti oedd yn y Jeep?'

'Ie. Ar ôl i fi gyrraedd y ffordd a gweld y Jeep heb neb yn agos iddo, ro'n i'n gwybod eu bod nhw yn y cae yn chwilio amdanat ti ac roedd yn rhaid i fi dynnu'u sylw nhw oddi wrthot ti rywsut. Dyna pam yrres i ffwrdd yn y Jeep.'

'Ac er mwyn dianc,' meddai Dylan braidd yn gyhuddgar.

'Wel, ie, wrth gwrs, roedd hynny'n fonws bach da iawn,' meddai gan droi i edrych ar Dylan a gwenu.

Ac er gwaetha'i hun bu raid i Dylan wenu hefyd.

'Sut ddest ti 'nôl i Abertawe?' gofynnodd Anna.

'Trên a thacsi, a lot o gerdded trwy gaeau.'

'Neith e les i ti.'

'Hy!' meddai Dylan. 'Pan fydd hyn drosodd dwi ddim eisie gweld cae arall am flwyddyn gyfan.'

Pan fydd hyn drosodd.

Atseiniodd y geiriau yn ei ben.

Pan fydd?

Os bydd?

Ond doedd dim i'w ennill o feddwl am hynny nawr, a stwriodd Dylan ei hun.

'Sut o't ti'n gwybod 'mod i yn y ganolfan siopa?' gofynnodd.

'Do'n i ddim.'

'Ond beth o't ti'n neud yna 'te?'

'Dilyn y Jeep o'n i.'

A dywedodd Anna wrtho am y ffordd roedd Geraint Harris wedi prysuro i aildrefnu'r wyliadwriaeth o Dylan ar ôl y ddamwain, er nad oedd ganddyn nhw mo'r syniad lleiaf ymhle allai fod. Ond unwaith roedd Anna wedi ffonio'i thad i ddweud beth oedd wedi digwydd, aeth Harris ati ar unwaith i anfon rhagor o bobl a cheir i ardal Abertawe.

'Un o'ch ceir chi yw'r car gwyn?' gofynnodd Dylan.

'Car gwyn?'

'Ie, dwi wedi gweld yr un car gwyn fwy nag unwaith ers neithiwr.'

'Na,' meddai Anna. 'Does gyda ni ddim car gwyn.'

'O,' meddai Dylan.

'Fe lwyddon ni i gael digon o geir heb fawr o drafferth, ond yn anffodus ro'n ni'n rhy hwyr i atal Strachan rhag lladd Simon Lewis ac i atal dy fam rhag diflannu.'

'Ddim wedi diflannu mae hi.'

'Na?' meddai Anna'n syn. 'Dyna maen nhw'n ddweud ar y radio.'

'Strachan sy wedi'i chipio hi. Aeth dynion 3G i'r fflat i chwilio amdana i a'r llyfr ond dim ond Mam a Simon Lewis oedd yno. Dwi ddim yn gwybod be ddigwyddodd, ond pan adawon nhw roedd Simon yn farw, Mam wedi ei chipio a Strachan yn cynnig ei rhyddhau hi petawn i'n rhoi'r llyfr iddo.'

Hanner trodd Anna i edrych arno.

'Nadw,' meddai Dylan, gan synhwyro'r hyn roedd Anna'n ei feddwl. 'Dwi ddim wedi'i roi iddo fe, a dwi ddim yn mynd i wneud, chwaith. Alla i ddim. A beth bynnag, dyw e ddim gyda fi.'

'Na?' meddai Anna, gan droi ei phen yn llwyr i edrych ar Dylan.

'Paid â phoeni. Mae'n ddigon diogel. Dyw e jyst ddim gyda fi, dyna i gyd.'

19

'WNAETHON NI ddim ystyried y bydde fe'n cipio dy fam ac yn ei defnyddio hi i gael y llyfr,' meddai Anna.

'Na finne,' meddai Dylan. 'Ond erbyn hyn, fydde dim byd mae Alistair Strachan yn ei wneud yn fy synnu i.'

'Na, ti'n iawn, ond poeni amdanat ti o'n i ar ôl y ddamwain. Ro'n ni'n gwybod nad oeddet ti gartre yn y fflat, felly aethon ni ddim yno'n syth. Petaen ni wedi mynd yno falle y bydden ni wedi gallu...' Ond gadawodd Anna'r frawddeg heb ei gorffen.

'Es i 'nôl i'r fflat,' meddai Dylan. 'A dod o hyd i'r corff.'

'Dwi'n gwybod; dyna i gyd sy wedi bod ar y radio drwy'r dydd. Nid dim ond sôn am y corff yn y fflat, ond hefyd mai ti laddodd e. Gredet ti ddim faint o sylw rwyt ti wedi'i gael. Mae'r heddlu'n rhedeg mewn cylchoedd yn chwilio amdanat ti. Ti'n real Jason Bourne.'

'Hy!' meddai Dylan, er, a dweud y gwir roedd e'n hoffi'r gymhariaeth. 'Dwi'n siŵr mai Strachan sy'n gyfrifol am y ffaith fod yr heddlu ar fy ôl i. Dweud wrthyn nhw mai fi yw'r llofrudd er mwyn fy atal i rhag mynd atyn nhw i ddweud mai Strachan a 3G laddodd e – a sawl un arall hefyd. Ond i fod yn onest, dwi ddim yn credu 'i fod e wir am iddyn nhw fy nal i.'

'Wel rwyt ti wedi gwneud yn dda iawn i osgoi'r heddlu. Ac i'n hosgoi ni.'

'Ydych chi wedi bod yn chwilio amdana i hefyd?'

'Wrth gwrs 'ny, ond heb damaid fwy o lwyddiant na'r heddlu. Gyrru o gwmpas o'n i yn y gobaith o ddod o hyd i ti a dyna pryd welais i'r Jeep. Am eiliad ro'n i'n meddwl mai gyrru rownd mewn gobaith oedd dynion 3G hefyd. Ond ar ôl eu dilyn nhw am ychydig sylweddolais i fod yna fwy o bwrpas na hynny yn yr hyn ro'n nhw'n 'i wneud ac fe benderfynais lynu wrthyn nhw i weld beth fydde'n digwydd. Pan stopion nhw o flaen KFC ro'n i'n meddwl 'mod i wedi gwneud camgymeriad ac mai mynd am fwyd o'n nhw. Ond penderfynais chwilio am rywle i barcio a chadw llygad arnyn nhw jyst rhag ofn. Ac yna, fel Jac yn y bocs, fe ymddangosest ti allan o unlle ac ro'n i'n ddiolchgar iawn 'mod i wedi dilyn y Jeep.'

'A finne,' meddai Dylan. 'Pe na bait ti wedi

bod yna, dwi ddim yn gwybod beth fydden i wedi'i wneud a llai na hanner y pedair awr ar hugain ar ôl.'

'Pedair awr ar hugain?' gofynnodd Anna.

'Ie, dyna faint o amser mae Strachan wedi'i roi i fi i ddod â'r llyfr iddo fe. Ond neithiwr oedd hynny, dim ond rhyw wyth awr sy ar ôl erbyn hyn.'

'I ble rwyt ti fod i fynd â'r llyfr?'

'Ddwedodd e ddim. Mae'n mynd i'n ffonio i gyda chyfarwyddiadau ar ddiwedd y pedair awr ar hugain.'

'A beth am dy fam?'

'Dwi ddim yn gwybod,' meddai Dylan, a oedd hefyd wedi bod yn meddwl beth fyddai Strachan yn ei wneud ar ôl iddo gael y llyfr. 'Wedodd e y bydde fe'n ei rhyddhau hi ond...'

'Alli di 'i drystio fe?'

'Na, dwi ddim yn meddwl. Dyna pam ro'n i am 'i dwyllo fe i anfon Jeep i'r Morfa fel y gallen i ddilyn yn y gobaith y byddai'n mynd i ble bynnag mae e'n cadw Mam yn gaeth.'

'Ac mae'n edrych fel petai dy gynllun yn mynd i weithio.'

'Dim ond am dy fod ti wedi dilyn y Jeep,' meddai Dylan, braidd yn ddigalon.

'Falle mai fel hynny oedd hi i fod. Pa obaith wyt ti'n credu fydde gyda ti o drechu Strachan a holl adnoddau 3G ar dy ben dy hun?'

'Dwi'n gwybod. Ond roedd rhaid i fi neud rhywbeth, a dyna'r gore allen i feddwl amdano.'

'A beth wyt ti'n bwriadu 'i neud ar ôl dod o hyd i dy fam?'

Cododd Dylan ei ysgwyddau. 'Dim syniad. Do'n i ddim wedi meddwl ymlaen mor bell â hynny. Dod o hyd i Strachan oedd y cam cynta.'

'Wel, gwell i ti ddechre meddwl,' meddai Anna. 'Mae'n edrych fel petaen nhw wedi cyrraedd pen eu taith.'

Roedden nhw wedi gyrru drwy ganol Abertawe, ac Anna'n raddol lywio'r car yn agosach at y Jeep rhag ofn y byddai'n cael ei dal yn y goleuadau traffig a oedd yn britho'r ddinas. Bron iddi gael ei rhwystro ar bwys gwesty'r Ddraig, ond trwy yrru gydag un olwyn ar y palmant roedd Anna wedi llwyddo i basio'r car o'i blaen a mynd drwy'r goleuadau coch. Gallai hi ond gobeithio nad oedd gyrrwr y Jeep wedi sylwi arnyn nhw yn ei ddrych.

Roedden nhw'n gyrru ar hyd Ffordd Sain

Helen i gyfeiriad Ffordd y Mwmbwls, stryd o siopau a swyddfeydd, pan arwyddodd y Jeep yn sydyn ei fod yn troi i'r dde, ac ar ôl i'r traffig a oedd yn dod tuag atyn nhw beidio, trodd gan dynnu i mewn o flaen rhes o adeiladau gwyn ar ochr dde'r ffordd.

Gyrrodd Anna heibio heb arafu fodfedd nes iddi gyrraedd man aros o flaen siop fwyd ychydig ymhellach i fyny ar yr ochr chwith.

Yr eiliad yr arhosodd y car rhyddhaodd Dylan ei wregys a dechrau agor y drws.

'Paid â rhuthro,' meddai Anna wrtho, gan roi ei llaw ar ei fraich. 'Newydd stopio maen nhw; go brin fyddan nhw'n gadael ar unwaith.'

Trodd Dylan ei ben i edrych dros ei ysgwydd ar yr adeiladau ar draws y ffordd.

'Wyt ti wedi penderfynu beth wyt ti'n mynd i neud?'

'Gweld os yw Mam yna.'

'Ac wedyn?'

'Ti wedi gofyn hynny unwaith yn barod.'

'Ond dwyt ti'n dal ddim wedi fy ateb i.'

Ochneidiodd Dylan.

'Edrych, Dylan. Does dim pwynt i ti ruthro i mewn i'r adeilad a chael dy ddal; pa les fyddai hynny'n ei wneud i ti, dy fam, nac i unrhyw un?'

Edrychodd Dylan yn ôl at yr adeiladau unwaith eto.

'A beth am y llyfr?' gofynnodd Anna. 'Falle'i fod e'n ddiogel, ond dim ond ti sy'n gwybod ble mae e. Beth os cei di dy ddal gan Strachan? Hyd yn oed os llwyddi di i beidio dweud wrtho ble mae e, be ti'n feddwl wnaiff e wedyn?'

''Yn rhoi i i'r heddlu.'

'Dy roi di i'r heddlu. Ond beth petaen *ni*'n mynd at yr heddlu gynta?'

Syllodd Dylan arni. 'Dwi wedi dweud wrthot ti, mae Strachan eisoes wedi llwyddo i gael yr heddlu ar 'i ochr e.'

'Ddim pob un ohonyn nhw. Mae 'na rai y gelli di ymddiried ynddyn nhw.'

'Sut wyt ti'n gwybod?' Ond yn syth ar ôl iddo ofyn y cwestiwn, sylweddolodd Dylan beth oedd yr ateb. 'Y llyfr! Mae rhai ohonyn nhw'n gwybod am y llyfr ac yn gofalu amdano.'

Nodiodd Anna. 'Oherwydd yr holl dystiolaeth sy'n dy erbyn, allan nhw ddim neud dim byd i dy atal di rhag cael dy arestio, ond ar ôl hynny dwi'n gwybod y byddan nhw'n neud yn siŵr na fydd dim byd yn digwydd i ti.'

'Ond celwydd yw'r dystiolaeth i gyd. Mae'r heddlu'n credu popeth mae Strachan a'r fenyw 'na'n dweud wrthyn nhw. Pe bai rhywun arall yn dweud wrthyn nhw beth ddigwyddodd mewn gwirionedd, bydde'n *rhaid* iddyn nhw fy nghredu i wedyn.'

'Hm,' meddai Anna, yn amau a fyddai pethau mor hawdd â hynny. 'Byddai'n well pe bai'r heddlu'n dal Strachan yn ei gelwyddau. Ddim dy eiriau di yn erbyn ei eiriau fe fydde hi wedyn, ond ei eiriau fe yn ei erbyn e. Dere gyda fi i siarad â'r heddlu.'

'Na. Na!' mynnodd Dylan. 'Alla i ddim gadael Mam.'

A chyn i Anna gael cyfle i'w atal, neidiodd Dylan allan o'r car a rhedeg yn ôl ar hyd y stryd.

20

FFLACHIODD GOLEUADAU'R Jeep yn oren wrth i'r gyrrwr ei gloi a dilyn y tri arall i mewn drwy ddrws yr adeilad. Cerddodd y pedwar i lawr y coridor, i fyny'r grisiau i'r llawr cyntaf, ac i'r ystafell gyfarfod. Arhosodd y pedwar y tu allan i'r ystafell gan edrych ar ei gilydd a cheisio penderfynu pa un ohonyn nhw fyddai'r cyntaf i fynd i mewn – pwy fyddai'n rhoi'r adroddiad.

Camgymeriad Sanders oedd bod y cyntaf allan o'r car, y cyntaf i mewn i'r adeilad, y cyntaf i fyny'r grisiau, a'r cyntaf i gyrraedd drws yr ystafell gyfarfod, a phan ddaeth hi'n amlwg iddo nad oedd un o'r lleill am wirfoddoli, curodd ar y drws a'i agor.

Roedd Alistair Strachan a Rebecca Groves yn eistedd bob ochr i'r bwrdd pren hir yn disgwyl amdano; yn wir roedd y ddau wedi bod yn disgwyl amdano byth ers i'r pedwar adael i fynd i Barc Siopa'r Morfa. Doedd dal Dylan ddim yn rhan allweddol o'u cynllun, ond gan fod y cyfle wedi codi, doedden nhw ddim yn mynd i'w wrthod.

Pan gysylltodd yr heddlu â Rebecca Groves

i ddweud wrthi fod un o ffrindiau ysgol Dylan Rees wedi eu ffonio a dweud ei fod e newydd weld Dylan, fe gymerodd rai munudau iddi brosesu'r wybodaeth. Doedd Groves, Strachan, na'r tîm o ddadansoddwyr data a oedd yn gweithio ar yr achos i 3G ddim wedi rhagweld y datblygiad hwn.

Roedd hi wedi bod yn ddigon hawdd iddyn nhw i gyd ragweld y byddai Dylan yn cysylltu â Scott Adams gan mai ato ef roedd Dylan wedi anfon y rhan fwyaf o'r negeseuon roedd y gwyddonwyr wedi llwyddo i'w ddarganfod ar weddillion ei ffôn. Ond dyma'r tro cyntaf iddyn nhw ddod ar draws enw Craig Walters. Prin a phytiog oedd y negeseuon ffôn oedd wedi goroesi'r tân, ac efallai fod rhai Craig wedi cael eu dinistrio.

Anfonodd Rebecca Groves un o'r dadan-soddwyr data i edrych eto ar gofnodion yr awdurdod addysg ac mewn llai na phum munud cafodd ei adroddiad: oedd, roedd yna fachgen o'r enw Craig Walters ar gofrestr yr ysgol, ac oedd, roedd e yn yr un dosbarth â Dylan Rees. Ac roedd y cysylltiad hwnnw'n ddigon i Rebecca Groves orchymyn yr heddlu i fynd i nôl Craig a'i holi ynglŷn â'i gyfarfod â Dylan.

Pan glywodd Groves a Strachan yr hyn roedd gan Craig i'w ddweud am fwriad Dylan i adael Abertawe – a hynny heb roi'r llyfr yn gyfnewid am ei fam – roedd rhaid newid eu cynllun. Yn hytrach nag aros i Dylan ddod â'r llyfr atyn nhw, roedd angen ei ddal a'i orfodi i ddweud wrthyn nhw ble roedd e wedi ei guddio.

Felly pan ffoniodd Dylan Craig i ddweud wrtho i ble y dylai fynd â'r arian, roedd Strachan yn gwrando ar y sgwrs ac yn trefnu mai ei ddynion ef ac nid Craig fyddai'n mynd i'w gyfarfod ym Mharc Siopa'r Morfa.

Roedd y cyfan wedi ymddangos mor hawdd. Pa obaith oedd gan fachgen yn ei arddegau i wrthsefyll pedwar o'i ddynion ef a'u holl hyfforddiant milwrol? Mater o amser yn unig oedd hi cyn y byddai Dylan Rees yn ddiogel yn ei ddwylo, a chyda'i brofiad ef o sut i berswadio'i elynion i ddatgelu gwybodaeth, nid oedd Alistair Strachan yn rhagweld unrhyw broblemau pellach. Byddai hynny hefyd yn tawelu beirniadaeth Rebecca Groves ohono ef a'i ffordd o weithredu unwaith ac am byth.

A dyna pam, pan ddaeth Sanders i mewn

i'r ystafell gyfarfod heb Dylan, roedd Alistair Strachan yn dechrau ofni'r gwaethaf.

'Ble mae'r bachgen?' gofynnodd.

'Doedd e ddim yno,' meddai Sanders yn blwmp ac yn blaen heb arlliw o emosiwn yn ei lais.

'Beth wyt ti'n meddwl doedd e ddim yno?' cyfarthodd Strachan.

'Doedd e ddim yn y bwyty; mae'n rhaid bod yr wybodaeth yn anghywir...'

'Paid ti â rhoi'r bai ar yr wybodaeth,' meddai Strachan ar ei draws. 'Roedd honno'n gywir gant y cant; y cyfan oedd yn rhaid i ti ei wneud oedd mynd yno a dal y bachgen.'

'Ond doedd y bachgen ddim yno,' mynnodd Sanders.

'Paid â dweud hynny o hyd!' chwyrnodd Strachan, ei wyneb yn goch a chwys yn disgleirio ar ei dalcen. 'Wnes i werthuso'r wybodaeth fy hun; dyna pam dwi'n gwybod ei bod yn ddibynadwy.'

Nid ymatebodd Sanders. Roedd wedi cyflwyno'i adroddiad ac os nad oedd Alistair Strachan yn barod i'w dderbyn, nid ei broblem ef oedd honno. Pan oedd yn filwr roedd Sanders wedi dod ar draws digon o swyddogion unllygeidiog nad oedden nhw'n barod i gydnabod eu bod nhw wedi gwneud camgymeriad. Ar bawb arall, ac nid arnyn nhw oedd y bai, wastad.

'Iawn, diolch Sanders,' meddai Rebecca Groves, a oedd wedi bod yn dawel hyd hynny. Roedd hi'n amlwg nad oedd dim i'w ennill o fytheirio Strachan.

Nodiodd Sanders arni, a heb edrych eto ar Strachan, gadawodd yr ystafell.

'Mae'n ddrwg gen i,' meddai Strachan ar ôl i'r drws gau. 'Ddylwn i ddim fod wedi ymddiried y gwaith i Sanders a'i ddynion, ond ro'n i'n meddwl bod y dasg yn un ddigon hawdd, hyd yn oed iddyn nhw.'

'Hm,' meddai Rebecca Groves. 'Falle bod Sanders yn iawn; falle nad oedd y ffynhonnell mor gywir ag yr oedden ni wedi credu.'

Tynnodd Strachan facyn o'i boced a sychu'r chwys o gledrau ei ddwylo gan ddweud dim; roedd yn gwybod yn iawn mai un peth oedd beirniadu ei ddynion, ond roedd cyfiawnhau ei hun gyda Rebecca Groves yn rhywbeth cwbl, cwbl wahanol.

'Dy'ch chi ddim yn credu bod yr hyn ddwedodd yr heddlu wrthoch chi yn gywir?'

gofynnodd, gan roi ychydig o bwyslais ar y gair 'chi' i'w hatgoffa mai trwyddi hi roedd wedi cael ei lusgo i mewn i'r cynllun gwallgof i ddal Dylan Rees ym Mharc Siopa'r Morfa.

'O na,' meddai Groves, gan syllu ar ei iPad ar yr adroddiad o gyfweliad yr heddlu gyda Craig. 'Nid hynny. Dwi'n sicr bod yr heddlu wedi dweud y gwir wrtha i, a bod Craig yn credu bod yr hyn roedd e'n ei ddweud wrth yr heddlu hefyd yn wir. Na, yr hyn sy'n fy mhoeni i yw a oedd yr hyn ddwedodd Dylan wrtho'n wir. A oedd e *wir* yn bwriadu gadael Abertawe?'

'Pam arall fydde angen yr arian arno fe, os nad oedd e'n bwriadu gadael?'

'A gadael ei fam ar ein trugaredd ni?'

'Chi'n gwybod yr effaith mae'r llyfr yma'n ei chael ar bobl; eu dallu nhw i bopeth arall, hyd yn oed eu lles eu hunain a'u teuluoedd.'

'Hm,' meddai Groves yn fyfyriol. 'Nid dyna yw fy mhrofiad i ohonyn nhw.'

'Pa reswm arall fyddai gyda'r bachgen i ofyn i un o'i ffrindiau ei helpu?'

'Ie, Alistair,' meddai Rebecca Groves a gwên ysgafn ar ei gwefusau. 'Pa reswm arall yn wir?'

21

ARHOSODD DYLAN i gar Anna yrru i ffwrdd cyn croesi'r stryd at yr adeilad roedd y Jeep Grand Cherokee du wedi parcio'r tu allan iddo. Yr adeilad hwnnw oedd yr olaf mewn rhes o ryw hanner dwsin o adeiladau tri llawr, a wal isel a rhes o goed yn gwahanu'r maes parcio o'u blaen oddi wrth y ffordd fawr.

O'r hanner dwsin o adeiladau, dim ond yn un ohonyn nhw y gwelai Dylan olau: y tu ôl i fleindiau caeedig ffenest fawr sgwâr ar ail lawr yr un yn ymyl y Jeep. Ar y wal, ychydig o dan y ffenest, roedd arwydd mawr melyn a glas yn dweud *Swyddfeydd i'w Gosod*.

Pencadlys dros dro, 'te, meddyliodd Dylan. Rhywle i Strachan drefnu pethau tra bod ei ddynion yn chwilio amdana i. Ni allai Dylan ei atal ei hun rhag gwenu wrth feddwl am y drafferth a'r gost roedd e wedi eu hachosi i 3G. Teimlai y byddai Martin Bowen yn falch iawn ohono.

Yn ymestyn hanner ffordd heibio i ochr yr adeilad roedd maes parcio bach arall, ac ynddo roedd dau gar mawr drud. Ar wahân i'r Jeep, y rhain oedd yr unig gerbydau oedd yn ymddangos fel petaen nhw'n perthyn i'r swyddfeydd.

Pawb call yn dal ar eu gwyliau, meddyliodd Dylan wrth iddo gerdded heibio. Allai hynny fod yn beth da; neb i 'nghlywed i'n torri i mewn. Ond yna sylweddolodd ochr negyddol y sefyllfa: neb i 'nghlywed i'n galw am help.

Roedd y stryd a redai ar ochr y swyddfeydd hefyd yn dawel; ambell gar wedi parcio yno ond neb yn cerdded heibio, neb yn gwylio, neb yn cadw llygad ar y mynd a'r dod.

Wrth iddo gerdded heibio i'r adeilad edrychodd Dylan i fyny a gweld bariau haearn ar ffenestri isaf ochr yr adeilad, ond nid y ddwy uchaf. Ond gan fod y rheini o leiaf ugain metr i fyny o'r ddaear, tenau iawn oedd siawns unrhyw un – ar wahân i *Spiderman* – o'u cyrraedd.

Yn wahanol iawn i'r ffenestri mawr croesawgar yn y blaen, meddyliodd. Tybed beth am ffenestri'r cefn? Hanner a hanner roedd hi yno hefyd. Bariau ar y ffenestri ar y lloriau isaf ond ddim ar yr un uchaf.

Ond yr hyn a synnodd Dylan yn fwy na dim, ar ôl yr holl drafferth roedden nhw wedi ei chymryd i roi'r bariau ar rai o'r ffenestri, oedd gweld bwlch mawr agored yn y wal a amgylchynai iard gefn yr adeiladau. Doedd dim clwyd na ffens o unrhyw fath yno yn ei gau ac yn atal pobl rhag mynd i mewn i'r iard.

Gormod o geir a faniau'n defnyddio'r iard iddyn nhw gau'r bwlch, meddyliodd Dylan wrtho'i hun. Dyna'r anfantais o logi adeilad sy'n rhannu mynedfa â nifer o swyddfeydd eraill, a neb am dalu i gael gofalwr i agor a chau'r glwyd bedair awr ar hugain y dydd.

Pedair awr ar hugain!

Edrychodd ar ei oriawr. Roedd hi bron yn bump o'r gloch – llai na chwe awr cyn y byddai'n rhaid iddo ffonio Alistair Strachan. Ond roedd Dylan yn weddol siŵr y byddai'n siarad â phennaeth 3G dipyn cyn hynny.

O'r bwlch yn y wal gallai Dylan weld estyniad un llawr oedd wedi ei adeiladu wrth gefn yr adeilad gwag drws nesaf i'r un roedd dynion 3G wedi mynd i mewn iddo. Petai'n gallu dringo i ben to gwastad yr estyniad efallai y byddai wedyn yn gallu dringo i fyny'r bibell ddŵr at y ffenest gefn ac yna, oddi yno draw i'r adeilad drws nesaf.

Anadlodd yn ddwfn. ''Co ni'n mynd 'te', meddai wrtho'i hun cyn edrych o'i gwmpas unwaith. Cerddodd drwy'r bwlch gan anelu'n syth am y grisiau metel a arweiniai o'r iard at ddrws cefn yr estyniad.

Wrth iddo agosáu at y grisiau sylwodd Dylan am y tro cyntaf ar y camera CCTV oedd wedi ei osod ar wal yr estyniad, ychydig i'r chwith i'r drws. Oedodd am hanner eiliad cyn ymresymu mai perthyn i'r adeilad gwag roedd y camera, a hyd yn oed petai'n ei ffilmio, fyddai neb yn gweld y llun tan y diwrnod gwaith nesaf, felly doedd ganddo ddim i boeni amdano.

A heb wastraffu eiliad arall yn meddwl am y camera, dringodd Dylan y grisiau ac yna i fyny i ben y canllaw metel oedd o gwmpas y landin bychan. Prin y gallai gyrraedd ymyl y to gwastad, ond gan sefyll ar flaenau ei draed a chydio yn y lamp olau uwchben y drws, tynnodd Dylan ei hun i fyny'r wal. Ac yna gydag un ymdrech olaf, y llaw rydd yn gafael yn ymyl y to a'i droed chwith yn gwthio ac yn gwasgu yn erbyn y camera diogelwch, llwyddodd i wthio'i hun drosto.

Gorweddodd ar ei fol am ychydig eiliadau i gael ei wynt ato. Edrychodd ar ei law chwith; roedd y croen wedi rhwygo a sgathru yn erbyn ymyl garw to'r adeilad. Sychodd y gwaed ar ei drowsus, codi ar ei draed a dechrau cerdded ar draws y to at gefn y prif adeilad. Cadwodd mor agos ag y mentrai at ymyl y to, a edrychai dipyn yn fwy cadarn na'i ganol. Ac yntau nawr mor agos at gyrraedd ei fam, y peth diwethaf roedd Dylan eisiau oedd disgyn drwy'r to a chael ei ddal.

Daliai ei freichiau allan ar led, fel cerddwr rhaff yn cadw'i gydbwysedd, a chyrhaeddodd y beipen ddŵr yn ddidrafferth. Tynnodd y beipen fetel er mwyn gwneud yn siŵr ei bod hi'n ddigon cadarn i ddal ei bwysau. Yna, wedi'i fodloni, dechreuodd ddringo. Gyda'r cam neu ddau cyntaf, llithrodd gwadnau ei esgidiau, ond unwaith roedd wedi cael gafael go iawn ar y beipen ac yn gwybod faint i wasgu yn erbyn y wal, dechreuodd symud i fyny.

Cam wrth gam dringodd Dylan yn agosach at sil y ffenest uwchben ei ysgwydd chwith. Nid arafodd na stopio hyd nes y gallai gamu arni a gollwng ei afael yn y beipen.

Pwysodd yn ôl yn erbyn y ffenest, ei ddwylo'n llusgo'n wichlyd gan chwys yn erbyn y gwydr wrth iddo symud fesul centimetr ar draws y sil i gyfeiriad yr adeilad drws nesaf.

Daliai Dylan ei ben i fyny'n uchel gan syllu'n syth ymlaen, yn ei orfodi ei hun i beidio ag edrych i lawr.

Ymhen ychydig, er ei bod yn teimlo fel oriau iddo, cyrhaeddodd Dylan ben pellaf sil y ffenest. Anadlodd yn ddwfn ac ymestyn ei fraich ar draws y wal. Crafangodd yn erbyn y garreg gan geisio peidio pwyso allan yn rhy bell a cholli ei gydbwysedd ar sil y ffenest a disgyn deg metr i'r llawr.

Cyffyrddodd blaen ei hirfys ym mheipen ddŵr yr adeilad drws nesaf ac yn araf, araf, gollyngodd ei hun allan ymhellach gan wthio'i law rhwng y beipen a'r wal. Teimlodd y garreg yn rhwygo'r croen ar gefn ei law ac yn tynnu gwaed. Anwybyddodd Dylan y boen a gafael mor dynn ag y gallai yn y beipen.

Doedd dim troi 'nôl nawr.

Ac mewn gwirionedd allai e ddim troi 'nôl. Er mwyn cydio yn y beipen roedd Dylan wedi gorfod pwyso allan yn bell iawn o sil y ffenest gan ei gwneud hi bron yn amhosibl iddo allu'i wthio'i hun yn ôl.

Ond doedd e ddim am fynd 'nôl beth bynnag; roedd wedi hen sylweddoli mai mynd at Strachan oedd ei unig obaith o achub ei fam, a doedd gwagle o fetr o sil un ffenest i sil ffenest arall ddim yn mynd i'w rwystro.

Caeodd Dylan ei law dde yn dynn am y beipen a neidio oddi ar sil y ffenest. Cydiodd yn y beipen â'i law chwith gan wthio'i gorff heibio iddi. Rhyddhaodd gafael ei law dde a sythu ei fraich chwith. Wrth i'w gorff siglo'n ôl, teimlodd â blaenau ei draed am sil y ffenest arall. Ond pan grafodd ei droed dde ar draws y sil a llithro oddi arni gwyddai Dylan ei fod mewn dyfroedd dyfnion.

Hongiai yno yn yr awyr a dim ond nerth ei law chwith yn ei gadw rhag disgyn i'r ddaear. Am ba hyd y gallai ei ddal ei hun yno? meddyliodd.

Ceisiodd droi a gafael yn y beipen ddŵr â'i law dde ond ni allai droi digon. Byddai'n rhaid iddo'i ollwng ei hun, neu yn hytrach lithro'n araf i lawr i'r ddaear, ei gynllun i achub ei fam drosodd cyn iddo fynd yn agos ati.

Suddodd ei galon ac roedd ar fin llacio ychydig o'i afael ar y beipen pan glywodd y ffenest ar ei ochr chwith yn gwichian yn agored. Trodd ei ben gymaint ag y gallai i edrych i fyny. Ymestynnodd dwy fraich drwy'r ffenest gan afael ynddo a'i dynnu'n ddiseremoni i mewn i'r adeilad.

22

'AROS FAN'NA!' gorchmynnodd y dyn, gan wthio Dylan yn erbyn wal y coridor cul a redai ar draws cefn llawr uchaf yr adeilad. Gallai Dylan weld ar unwaith o'i ddillad a'i osgo mai un o ddynion 3G oedd e. Ac roedd hynny'n ddigon i gadarnhau ei fod o leiaf yn yr adeilad cywir. Gallai ond gobeithio bod ei fam yno hefyd.

'Iawn?' cyfarthodd y dyn, gan wasgu ysgwydd Dylan yn galed.

Ildiodd Dylan i'r gwthiad a nodio'i ben yn llywaeth gan sugno'r gwaed a'r croen ar gefn y llaw roedd wedi ei sgathru yn erbyn y wal pan gafodd ei dynnu i mewn drwy'r ffenest. Yn fodlon mai ef oedd yn rheoli'r sefyllfa, trodd y dyn yn ôl at y ffenest a'i chau. Gwichiodd y ffrâm bren wrth iddo wthio'r hanner gwaelod yn ôl i'w le, ond pan geisiodd ei chloi cafodd drafferth i wasgu dwy ochr y bachyn metel at ei gilydd.

Canolbwyntiodd y dyn ar y ffenest a gwelodd Dylan ei gyfle. Camodd ymlaen ato a'i gicio'n galed ar gefn ei goes, y tu ôl i'w ben-glin, â sawdl ei droed dde.

'Haaaa!' ebychodd y dyn pan sigodd ei goes oddi tano. Disgynnodd i'w liniau a chydiodd Dylan yn ei ben â'i ddwy law a'i daro'n galed yn erbyn ffrâm y ffenest. Ffrwydrodd un o sgwariau gwydr isaf y ffenest o dan yr ergyd a llithrodd corff y dyn i'r llawr, a darnau o wydr yn disgyn arno.

Roedd yn synnu Dylan bod dynion 3G yn dal i'w ddiystyru er gwaethaf yr holl droeon roedd e wedi cael y gorau arnyn nhw. Doedd Dylan ddim yn gwybod pam eu bod nhw'n parhau i fod felly. Am eu bod nhw'n meddwl eu bod nhw'n well nag ef, neu am eu bod yn fwy nag ef? Neu am fod Strachan yn cyflogi milwyr dwl? Ond os hynny, os mai mudiad i ofalu am filwyr oedd 3G, oni ddylai Strachan fod yn gofalu amdanyn nhw yn hytrach na chymryd mantais ohonyn nhw?

Ond wedyn, onid oedd cymryd mantais o bobl yn rhan fawr o'r hyn roedd 3G yn ei wneud? Roedden nhw'n dweud eu bod nhw am ddangos y gwir i bobl, tra mewn gwirionedd cuddio'r gwir oddi wrth bobl roedden nhw am ei wneud, a'u twyllo i dderbyn eu celwyddau nhw fel gwirionedd.

Ac roedd hi'n amlwg i Dylan mai dim ond

milwyr dwl roedd Strachan yn llwyddo i'w cadw. Roedd y lleill, y rhai oedd yn meddu ar y mymryn lleiaf o synnwyr cyffredin, yn gweld trwy holl dwyll 3G ac yn gadael, neu ddim yn ymuno â nhw yn y lle cyntaf.

3G. Grym. Gwirionedd. Gwasanaeth. Dyna beth oedd jôc, wfftiodd.

A heb oedi eiliad yn hwy i boeni am dwpdra'r dyn na'i gyflwr, aeth Dylan yn ei flaen ar hyd y coridor. Dim ond golau oren pŵl dwy lamp argyfwng oedd yn y coridor hwnnw, ond roedd hynny'n ddigon i alluogi Dylan i weld bod pedwar drws ar yr ochr chwith.

Cydiodd yn nolen y drws cyntaf a'i throi yn araf. Agorodd y drws, ac yng ngolau lamp y stryd a lifai drwy'r ffenest gwelodd Dylan mai storfa ar gyfer hen gadeiriau a desgiau oedd yr ystafell. Caeodd y drws yn siomedig.

Storfa oedd yr ail ystafell hefyd, a hen offer cyfrifiadurol yn ogystal â dodrefn ynddi. Rhaid eu bod nhw wedi cael eu gadael yno gan gwmnïau oedd wedi rhentu'r adeilad yn y gorffennol, meddyliodd Dylan wrth iddo droi at y drws nesaf.

Roedd yr ystafell honno'n hollol wag; dim

celfi na chyfarpar cyfrifiadurol o unrhyw fath. Ac wrth iddo edrych o gwmpas yr ystafell gofynnodd iddo'i hun beth oedd y dyn yn ei wneud ar y llawr yma os nad oedd e'n gwarchod rhywbeth neu rywun?

Caeodd y drws a throi at yr ystafell olaf oedd ar ben y grisiau. Wrth iddo agosáu ati sylwodd Dylan, yn wahanol i ddrysau'r tair ystafell arall, fod allwedd yn nhwll y clo.

Teimlai guriadau ei galon yn cyflymu. Ai'r ystafell hon roedd y dyn yn ei gwarchod? Estynnodd am yr allwedd a'i throi yn hawdd. Efallai nad oedden nhw'n agor ffenestri'r llawr hwn yn aml iawn, ond roedden nhw *yn* gofalu am gloeon y drysau.

Gwasgodd y ddolen ac agorodd y drws yr un mor hawdd. Ond wrth iddo'i wthio'n ôl trawyd Dylan gan dywyllwch trwchus yr ystafell. Edrychodd i gyfeiriad y ffenest a gweld ei bod wedi ei gorchuddio'n llwyr gan ddarn hirsgwar o bren a gadwai olau lampau'r stryd allan.

Wrth iddo gamu i mewn i'r ystafell tynnodd Dylan ei ffôn o'i boced a'i gynnau. Yna chwiliodd am yr ap fflachlamp a gwasgu'r botwm a ymddangosodd ar y sgrîn. Fflachiodd pelydr tenau o olau drwy'r tywyllwch wrth iddo symud y ffôn yn ôl ac ymlaen o'i flaen.

Ar yr olwg gyntaf roedd yr ystafell hon eto'n wag, ond wrth i'r fflachlamp oleuo'r cornel y tu ôl i'r drws, gwelodd Dylan wely sengl ac arno dwmpath o ddillad neu, fel yr ofnai, gorff.

'Mam?' galwodd. 'Mam?'

Ond ni chafodd ateb ac ni symudodd y twmpath.

'Mam!' meddai Dylan eto, gan agosáu at y gwely.

Estynnodd ei law a chyffwrdd â'r twmpath gan wybod i sicrwydd mai corff oedd yno.

'Mam?'

'E?' ochneidiodd y corff. 'Dylan?' Adnabu Dylan lais ei fam er ei fod yn dawel ac yn grynedig.

'Mam,' meddai Dylan, gan afael yn ei hysgwydd a'i throi tuag ato. 'Mam, deffra, mae'n rhaid i ni fynd.'

Ond dim ond griddfan wnaeth ei fam, fel petai dweud enw Dylan wedi bod yn ormod o ymdrech iddi.

Cyffyrddodd Dylan â'i thalcen. Roedd ar dân ac yn wlyb gan chwys, yn union fel petai hi'n sâl. Ond gwyddai Dylan nad salwch arferol oedd yn gyfrifol am gyflwr ei fam. Rhaid bod Strachan wedi rhoi cyffur o ryw fath iddi er mwyn ei chadw hi'n dawel. Dyna'r unig ffordd y byddai wedi llwyddo i gael unrhyw reolaeth arni, meddyliodd Dylan. Ni fyddai ef wedi mentro ceisio'i charcharu heb fod ganddo raff drwchus, dryll a chi neu ddau, ac roedd hi'n gysur iddo wybod nad oedd Strachan fymryn yn ddewrach nag ef.

Ond nid oedd hynny'n mynd i'w helpu i gael ei fam allan o'r adeilad yn dawel ac yn gyflym, ac os na allai wneud hynny, roedd ei gynllun i'w hachub hi o afael Alistair Strachan cyn bod y pedair awr ar hugain drosodd yn mynd i fethu.

'Mam, cwyd,' meddai, gan roi ei fraich dan ei hysgwyddau a cheisio'i chodi o'r gwely. Ond yn ofer. Roedd hi'n llawer rhy drwm i Dylan allu ei symud o'r gwely ac o'r ystafell hyd yn oed, heb sôn am allan o'r adeilad.

Edrychodd ar ei ffôn. A allai ffonio'r heddlu? Petai'r heddlu'n gweld ei fam yn y cyflwr hwn, fe fydden nhw'n siŵr o gredu'r hyn fyddai'n ei ddweud am Strachan. Oni fydden nhw? Neu a oedd gan Strachan stori wedi ei pharatoi a fyddai'n esbonio'i chyflwr, ac yn ei ddarlunio'i hun fel rhywun da a oedd yn gofalu amdani? Allai Dylan fentro hynny?

Ond cyn iddo allu penderfynu beth ddylai ei wneud nesaf, clywodd sŵn rhywun yn rhedeg i fyny'r grisiau. Ymhen dim rhuthrodd tri dyn i mewn i'r ystafell. Gafaelodd dau bâr o ddwylo cryf yn ei freichiau a'u tynnu y tu ôl i'w gefn gan ei wthio ymlaen ar yr un pryd nes ei fod ar ei bengliniau ar y llawr.

Roedd ef a'i fam yn garcharorion nawr.

23

'WEL, DYLAN, dyma ni'n cyfarfod unwaith eto,' meddai Alistair Strachan a min galed, ddialgar, i'w lais.

'Ond dyma'r tro cynta i *ni* gyfarfod, yntefe, Dylan?' meddai'r wraig roedd Dylan wedi ei gweld ar y teledu. Roedd ei llais hi ychydig yn fwynach, yn fwy croesawgar.

Plismon drwg a phlismon da, meddyliodd Dylan. Ond gwyddai mai rhai drwg oedd y ddau ohonyn nhw mewn gwirionedd.

Syllodd Dylan ar y wraig; ar ei gwallt melyn, ei llygaid, ei thrwyn a'i cheg. Pwy oedd hi? Gwyddai nad oedd e wedi ei chyfarfod hi erioed o'r blaen, ond eto roedd ei hwyneb yn gyfarwydd, yn fwy cyfarwydd nawr na phan oedd e wedi ei gweld hi gynta ar y teledu.

'Dr Groves?' meddai.

'Ie,' meddai'r wraig, ac am eiliad daeth cysgod o bryder i'w llygaid. Ond dim ond am eiliad, cyn i'r wên gyfeillgar ddychwelyd. 'Croeso i ti, Dylan,' meddai wedyn yn yr un llais tawel a doeth ag yr oedd hi wedi ei ddefnyddio i ddweud yr holl gelwydd amdano ef a'i fam.

Roedd hi'n amlwg i Dylan o'r ffordd roedd Strachan a Dr Groves yn edrych ar ei gilydd, gan geisio peidio â gwenu'n rhy fuddugoliaethus arno ef, fod y ddau'n teimlo'n falch iawn ohonyn nhw'u hunain. Ac mewn ffordd ni welai Dylan fai arnyn nhw o ystyried eu bod nhw, o'r diwedd, wedi llwyddo i'w ddal.

'Mae'n dda gen i dy gyfarfod. A dweud y gwir, doeddwn i ddim yn gwybod yn iawn beth i'w ddisgwyl,' meddai Rebecca Groves, gan godi o'r tu ôl i'r bwrdd pren hirgul lle roedd hi a Strachan yn eistedd, a cherdded tuag at Dylan. 'Ar ôl clywed cymaint amdanat ti a'r hyn rwyt wedi bod yn ei wneud i ddynion Major Strachan, roeddwn i'n disgwyl gweld rhywun tebyg i Batman neu John McClane, ond dyma ti,' meddai, gan droi i edrych ar Strachan, 'dim byd ond bachgen.'

Ni allai Dylan weld ei hwyneb, ond o'r olwg ar wyneb Alistair Strachan gwyddai ei bod hi'n gwneud hwyl am ei ben.

Falle'i fod e'n *Major* Strachan, meddyliodd Dylan, ond doedd dim amheuaeth o gwbl pwy oedd y meistr yma a phwy oedd yn gorfod dioddef cael ei feirniadu am ei fethiannau.

'Ond dyna fe,' meddai Rebecca Groves, gan gerdded o gwmpas y bwrdd. 'Dyw hynny'n ddim byd ond hanes nawr. Mae'r cyfan wedi pasio, a chanolbwyntio ar y dyfodol fyddwn ni'n ei wneud o hyn ymlaen. Dyna sy'n bwysig i ni i gyd ei wneud. Beth wyt ti'n feddwl, Dylan?'

'Chi *yn* licio clywed sŵn eich llais eich hunan, on'd y'ch chi?' meddai Dylan, gan rwbio'i ysgwydd dde lle roedd un o'r dynion wedi tynnu ei fraich yn ôl yn galed. Doedd ganddo ddim diddordeb mewn chwarae gêmau gyda'r ddau, a gorau oll po gynta iddyn nhw sylweddoli hynny.

Brasgamodd Rebecca Groves tuag ato'n fygythiol, ond pan wrthododd Dylan ildio centimetr iddi, safodd yn stond. 'Paid bod yn haerllug!' cyfarthodd arno a'i llygaid yn fflachio. 'Roeddet ti'n meddwl dy fod yn glyfar iawn, on'd oeddet ti, yn defnyddio dy ffrind Cliff i...'

'Craig,' meddai Dylan ar ei thraws.

'...Craig, 'te. Beth yw'r ots beth yw ei enw; roeddet ti'n gobeithio'i ddefnyddio fe i'n twyllo ni i dy arwain di aton ni...'

'Ac fe weithiodd e, yndofe?' meddai Dylan, gan dorri ar ei thraws unwaith eto. 'Dwi yma, on'd ydw i? Felly mae'n rhaid ei fod e wedi gweithio.'

'Rwyt ti yma am ein bod ni wedi dy ddal di!' taranodd Groves, gan bwysleisio pob sillaf o bob gair.

'Wel do, mewn ffordd,' meddai Dylan. 'Ro'n i'n gwybod unwaith y bydden i wedi'ch twyllo chi i anfon y dynion i'r Morfa y bydden nhw'n fy arwain i 'nôl atoch chi. Yr unig broblem wedyn oedd sut i dorri i mewn i'ch pencadlys, ac fe fuoch chi'n ddigon caredig i agor y ffenest a 'nhynnu i mewn. Diolch.'

'Hy!' meddai Groves.

'Doeddech chi ddim yn meddwl 'mod i'n credu'ch bod chi'n rhy dwp i sylweddoli beth o'n i'n 'i wneud, o'ch chi? Neu eich bod *yn* ddigon twp i gael eich twyllo, ddylwn i ddweud?'

Rhythodd Rebecca Groves arno, ac am ryw reswm, yr eiliad honno, sylweddolodd Dylan pam roedd ei hwyneb yn gyfarwydd. Doedd ganddo ddim i'w wneud â'r edrychiad, ond yn hytrach â'i hysbryd. Ac unwaith roedd Dylan wedi gwneud y cysylltiad, dechreuodd nifer o ddarnau ddisgyn i'w lle.

Trodd Groves at Strachan. 'Gwell i ti ei berswadio fe i newid ei ymddygiad cyn i bethau droi'n ddrwg iddo.' Ac eisteddodd y cyn-blismon da wrth y bwrdd.

'Ble mae'r llyfr?' gofynnodd Strachan gan godi ar ei draed, ei lais yn dawel a phwyllog. Ai ef oedd y plismon da nawr? meddyliodd Dylan.

'Ddim cyn i chi adael i Mam fynd.'

'Os gwnei di ddweud wrthon ni ble mae'r llyfr, fe wna i'n siŵr bydd dy fam yn iawn.'

'Na, dwi eisie i chi…'

Chwipiodd braich Strachan yn ddirybudd drwy'r awyr a thrawodd foch Dylan â chefn ei law.

'Aaach!' ebychodd Dylan, gan ddisgyn i'w liniau.

Na, y plismon gwaeth.

'Y tro dwetha i ni gyfarfod, Dylan, ro'n i'n llawer rhy amyneddgar gyda ti ac oherwydd hynny fe gollais i'r llyfr.'

'Martin Bowen gymerodd e oddi wrthoch chi, chi'n feddwl,' meddai Dylan. Roedd ei foch ar dân a'r boen yn lledu trwy ei ben ond roedd e'n benderfynol nad oedd e'n mynd i adael i Strachan weld hynny.

'Ti'n iawn, Martin Bowen gymerodd e oddi wrtha i. A dy achub di ar yr un pryd. Ond rywsut dwi ddim yn meddwl y bydd e'n gwneud hynny heddi. Fydd e?'

'Na,' meddai Dylan, yn teimlo'n ddig iawn am y ffordd ysgafn a di-hid roedd Strachan yn sôn am Martin Bowen. 'A chithe wedi'i ladd e.'

'Ie, a chofia di hynny cyn i ti ateb 'nôl eto.'

'Pam oedd rhaid i chi ei ladd e?'

'Dylan, Dylan, paid â siarad am bethe does gyda ti ddim syniad amdanyn nhw,' ochneidiodd Strachan. 'Nid dyma'r lle na'r amser i grafu'r hen grachen yna. Fel y dwedodd Dr Groves, canolbwyntio ar y dyfodol sy angen i ni wneud nawr.'

'Pam mae'r llyfr mor bwysig i'ch dyfodol chi?'

'Paid ti â phoeni am hynny,' atebodd Rebecca Groves, gan roi'r gorau i'w phwdu.

'Dwi ddim yn poeni,' meddai Dylan. 'Dwi'n gwybod yn iawn pam y'ch chi eisie'r llyfr. Ddywedodd Anna wrtha i.'

Gwgodd Rebecca Groves eto. Gallai Dylan weld ei meddwl yn prosesu'r wybodaeth newydd yma, yn ansicr sut i'w thrin, a beth oedd yr arwyddocâd.

'Rwyt ti'n nabod Anna, wyt ti?' meddai o'r diwedd.

'Ydw,' meddai Dylan. 'A'i thad. A nawr dwi'n siarad â'i mam, ond ydw i?'

'Mam?' meddai Strachan, gan edrych yn hurt o Dylan i Rebecca Groves. 'Mam pwy?'

'Dy'ch chi ddim yn gwybod, Major Strachan,' meddai Dylan, 'am gysylltiad Dr Groves â'r bobl ry'ch chi wedi bod yn chwilio amdanyn nhw? Y bobl sy am gadw'r llyfr oddi wrthoch chi?'

24

'DYW HYNNY ddim yn berthnasol,' meddai Rebecca Groves yn ddiamynedd.

'Ddim yn berthnasol?' meddai Strachan yn anghrediniol. 'Pwy sy i ddweud nad yw hynny'n berthnasol? Dwi a'r dynion wedi bod wrthi fel lladd nadredd ers misoedd yn chwilio am y llyfr, a thrwy'r amser roedd gyda chi gysylltiad â'r bobl sy'n gofalu amdano. Ac ry'ch chi'n dweud nad yw hynny'n berthnasol?'

'Nagyw, dyw e *ddim* yn berthnasol.'

Roedd hi'n amlwg nad oedd Strachan yn hoffi gorfod derbyn gorchmynion Rebecca Groves, ac roedd yr wybodaeth newydd yma'n newid perthynas y ddau. Doedd safle awdurdodol Dr Groves ddim mor gadarn nawr, ac os gallai Dylan fanteisio ar hynny...

'Mae e'n fwy na chysylltiad,' meddai Dylan, gan wthio llwy fawr bren i mewn i'r gymysgedd.

'Ydy,' cytunodd Strachan. 'Mae e'n llawer mwy na chysylltiad.'

'Does gyda hynny ddim byd...'

'Mwy fel perthynas,' awgrymodd Dylan, gan ddechrau troi'r llwy. 'Dyna sy'n ei wneud e'n *berthnasol*.'

'Ie,' cytunodd Strachan eto. 'Mam, tad, merch, perthynas.'

'Gwranda!' gorchmynnodd Groves, gan symud i sefyll yn sgwâr o flaen Strachan. 'Os yw hynny'n wir, wyt ti ddim yn meddwl y bydden i wedi defnyddio 'nghysylltiad, fy *mherthynas*, â'r bobl yma i gael y llyfr?'

'Dwi ddim yn gwybod beth fyddech chi'n 'i wneud, ydw i?' meddai Strachan a oedd yn teimlo ei fod e'n dechrau colli gafael ar bethau.

'Ac mae hynny'n dibynnu ar pam ry'ch chi am gael gafael ar y llyfr,' meddai Dylan. 'Ei ddefnyddio fe er lles pawb, neu ei gadw fe i chi'ch hunan.'

'Ie,' meddai Strachan, a oedd yn gweld twyll ym mhopeth nawr. Fel rhywun a oedd yn gyfarwydd â thwyllo eraill, roedd e'n fwy na pharod i gredu bod eraill yn ei dwyllo ef. 'Beth yw eich gwir agenda, Dr Groves?'

Ysgydwodd Rebecca Groves ei phen mewn rhwystredigaeth. 'Allwn ni ddim fforddio gwastraffu amser ar hyn; mae'n rhaid i ni gael gafael ar y llyfr. Mae hwnnw gyda'r bachgen ac mae'r bachgen gyda ni. Dyna'r unig beth sy'n cyfri. Iawn?'

Ddywedodd Strachan ddim.

'Felly,' meddai Rebecca Groves yn bwyllog. 'Beth am roi'r gorau i bopeth arall a chanolbwyntio ar y llyfr, er lles pawb?'

'Iawn,' meddai Strachan, cyn ychwanegu, 'Am nawr.'

'Ond dwi ddim yn mynd i ddweud dim byd wrthoch chi nes eich bod chi'n cael doctor at Mam,' meddai Dylan.

'Does dim angen doctor arni,' meddai Rebecca Groves. 'Cyffur cwsg i'w chadw hi'n dawel, dyna i gyd mae hi wedi'i gael. Fydd hi ddim tamaid gwaeth pan fydd hi'n deffro, cred ti fi.'

'Eich credu chi?' meddai Dylan, gan roi cymaint o anghrediniaeth ag y gallai yn ei lais. 'Pam ddylen i eich credu chi? A chyn hir fydd neb yn eich credu chi byth eto, faint bynnag o weithie byddwch chi'n ymddangos ar y teledu yn gofyn iddyn nhw wneud.'

O'r olwg ar ei hwyneb, gwyddai Dylan fod ei eiriau wedi cyffwrdd â man tyner. Efallai fod uchelgais Rebecca Groves wedi ei dallu hi i'r hyn roedd hi'n ei wneud, ond roedd rhyw gysgod o gydwybod yn dal yno yn rhywle.

'O'r gore,' meddai Groves gan godi ei

ffôn o'r bwrdd. 'Os mai dyna'r unig ffordd. Sanders?' meddai ar ôl deialu'r rhif. 'Dewch â'r fenyw i lawr i'r stafell gyfarfod. Ie, ar unwaith.'

Taflodd y ffôn 'nôl ar y bwrdd a throi at Dylan. 'Hapus?'

Ni ddywedodd Dylan air; roedd yn benderfynol o beidio ag ildio dim.

'Nawr 'te, ble mae'r llyfr?'

'Pam y'ch chi eisie fe?'

'Dyw hynny'n ddim busnes i...'

'Chi'n gwybod na allwch chi ei ddinistrio, on'd y'ch chi?'

'A pham wyt ti'n meddwl ein bod ni am ei ddinistrio?' meddai Strachan. 'Ar ôl yr holl ymdrech i'w gael e.'

'Ie,' meddai Groves. 'Mae e'n llawer rhy werthfawr i'w ddinistrio. Falle y gallwn ni ei ddefnyddio i roi mwy o rym ac awdurdod i'n gwirionedde ni.'

'Nid fel 'na mae pethau'n gweithio,' meddai Dylan, gan ddeall yn iawn nawr pam roedd hi am gael y llyfr. 'Ddylech chi wybod hynny.'

'Neu,' meddai Groves a oedd yn sylweddoli ei bod wedi dweud gormod, 'Falle mai ei ddinistrio fyddai orau. Mae e'n ein dal ni 'nôl ac ar ôl i ni gael gwared â'r holl ofergoelion gwag sy ynddo fe, bydd cyfle wedyn i ddechre eto gyda gwirionedde newydd, rhai mae pobl yn gallu eu deall a'u derbyn.'

'Gyda'ch help chi, wrth gwrs,' meddai Dylan. 'Ond dyw rhoi eich sbin chi ar gelwydd ddim yn mynd i'w troi nhw i fod yn wirionedd. Ac mae'r llyfr yn mynd i ddangos hynny bob tro; dyna pam mae ei angen e arnon ni, fel bod pawb yn gallu gweld pryd mae pobl fel chi yn rhaffu celwyddau.'

'Wel os yw hynny'n wir, Dylan,' meddai Groves, 'falle mai ei ddinistrio fyddai orau wedi'r cyfan.'

'Dwi'n gwybod na allwch chi ei gadw rhag ofn bydd pobl yn dod i wybod mai twyll a chelwydd yw'r cyfan ry'ch chi'n ei ddweud. Ond pan ddwedes i gynne na allech chi ei ddinistrio, do'n i ddim yn ymbilio arnoch chi i beidio â'i ddinistrio. Dweud o'n i ei bod hi'n amhosib i chi nac i unrhyw un arall ei ddinistrio.'

Chwarddodd Rebecca Groves. 'Mae Anna wedi llenwi dy ben â phob math o ddwli, on'd yw hi? Wyt ti *wir* yn credu bod yna rywbeth gwyrthiol am y llyfr?'

'Ydw,' meddai Dylan. 'Ond ddim am fod

Anna wedi dweud hynny, ond am fy mod i wedi profi hynny drosof fi fy hun.'

Tagodd ei chwerthiniad yng ngwddf Rebecca Groves a throdd ei hwyneb yn llwyd fel niwl.

'Rwyt ti wedi…profi'r llyfr?'

'Wrth gwrs. Wnaeth *Major* Strachan ddim dweud hynny wrthoch chi?'

'Naddo,' meddai Groves, a chwipiodd ei phen i'r dde i rythu'n feirniadol ar Strachan. 'Soniodd e ddim am hynny.'

'Dyw hynny ddim yn berthnasol,' meddai Strachan, gan daflu geiriau Rebecca Groves yn ôl ati. 'Dwi wedi cyfarfod â sawl person sy wedi "profi'r llyfr", fel ry'ch chi'n ei alw fe, ond dyw hynny ddim wedi bod o unrhyw help iddyn nhw; maen nhw i gyd wedi marw fel pawb arall.'

'A chi'n mynd i'n lladd i hefyd, on'd y'ch chi?' meddai Dylan. 'Fel ry'ch chi wedi lladd pawb sy wedi dod rhyngoch chi a'r llyfr.'

Cydiodd Strachan yn un o'r cadeiriau ar bwys y bwrdd a'i chario at Dylan. 'Stedda!' gorchmynnodd, gan ei wthio i lawr ar y gadair.

'Dyna'r unig ffordd y gallwch chi'n cadw ni'n dawel, yntefe,' meddai Dylan. 'Drwy ein lladd ni i gyd.'

'*Ni*,' meddai Strachan, gan wasgu ysgwyddau Dylan yn galed. 'Rwyt ti'n dy gyfri dy hun yn un ohonyn nhw, wyt ti?'

'Ro'n un "un ohonyn nhw",' meddai Dylan, gan ddynwared ei eiriau, 'o'r eiliad gyntaf agores i'r llyfr a gweld beth sy ynddo.'

'A beth welest ti ynddo fe?' gofynnodd Rebecca Groves, ei llais yn dawelach ac yn fwy pwyllog nag un Strachan.

'Y gwirionedd, fel mae e wedi bod o'r dechre, ac fel mae e o hyd.'

'Fel roeddet ti *am* ei weld e, ti'n feddwl.'

'Nage. Roedd e'n wahanol i'r hyn fydden i wedi ei ddewis, ond roedd e'n llawer rhy real i fi i amau nad y gwirionedd oedd e. A beth bynnag, hyd yn oed pe na bawn i'n ei dderbyn e, bydde fe'n dal yn wirionedd. A dyna pam na fyddwch chi'n gallu ei ddefnyddio i dwyllo pobl â'ch celwydd.'

'Rwyt ti'n llawer rhy ifanc i ddeall pethe fel'na.'

'Does gan oedran ddim byd i'w wneud â gwybod y gwahaniaeth rhwng gwirionedd a chelwydd. Ydych chi'n gwybod y gwahaniaeth?'

'Paid â bod yn haerllug!'

'Ydy pawb sy'n credu'n wahanol i chi yn haerllug?'

Gwenodd Rebecca Groves yn faleisus arno ond nid atebodd.

'A beth am Anna a'i thad?' gofynnodd Dylan. 'Ai am eu bod nhw'n credu'n wahanol y gadawoch chi *nhw*?'

'Dyna beth ddwedodd Anna wrthot ti?'

'Nage, fi sy'n dyfalu hynny.'

'Paid â gwastraffu dy amser yn dyfalu pethe does gen ti ddim syniad amdanyn nhw. Ar un adeg roedd Geraint yr un mor uchelgeisiol â fi ac yn poeni am ddim na neb, dim ond ein bod ni'n dau yn llwyddo i wella'n hunain. Ond yna digwyddodd rhywbeth iddo fe; newidiodd e a dechrau meddwl mwy am eraill nac amdano'i hunan, nac amdana i. O'r eiliad honno ymlaen ro'n i'n gwybod ei fod e'n mynd i fod yn fwy o rwystr nag o help i fi, felly roedd yn rhaid i fi dorri'n rhydd.'

'A beth am Anna?'

'Os nad oedd Geraint yn mynd i ganol-bwyntio ar ei yrfa, bydde gydag e ddigon o amser i ofalu amdani, fwy nag oedd gyda fi, beth bynnag. Ai Anna ddwedodd wrthot ti pwy o'n i?'

Siglodd Dylan ei ben. 'Do'n i ddim yn gwybod pwy oeddech chi cyn i fi eich gweld chi ar y teledu bore 'ma. Ond pan weles i chi ro'n i'n gwybod 'mod i wedi'ch gweld chi rywle o'r blaen. Ond dim ond nawr sylweddoles i 'mod i wedi gweld eich llun yng nghartre Anna a'i thad.'

'A ble maen nhw'n byw nawr?' gofynnodd Groves, gan geisio gwneud i'r cwestiwn swnio'n un dibwys.

'Dim syniad,' atebodd Dylan a wyddai na fyddai Rebecca Groves yn gofyn cwestiynau dibwys. 'Roedd hi'n dywyll pan es i yno.'

'A phryd welaist ti Anna ddiwetha?'

'Gynne fach, pan roddodd hi lifft i fi o'r Morfa.'

'Roedd hi'n rhan o'r twyll hefyd, oedd hi?'

'Nagoedd,' meddai Dylan ond doedd Rebecca Groves ddim yn gwrando arno.

'Wyt ti'n gwybod ble mae hi nawr?'

'Wedi mynd i nôl yr heddlu.'

'Fyddan nhw fawr o help i ti. Dwyt ti ddim yn sylweddoli mai ni sy'n rheoli'r heddlu?'

'Chi'n meddwl?' meddai Dylan.

Pwysodd Rebecca Groves yn agosach ato, ond cyn iddi gael cyfle i ddweud dim curodd rhywun ar ddrws yr ystafell.

'Mewn!' galwodd Strachan.

Agorodd y drws a cherddodd mam Dylan i mewn i'r ystafell yn araf. Roedd hi'n dal yn edrych yn wan ond o leiaf roedd hi ar ei thraed. Ceisiodd Dylan godi o'r gadair i fynd ati ond daliodd Strachan e yn ei le. Ond wrth iddo gael ei wthio i lawr, sylwodd fod rhywun yn sefyll y tu ôl i'w fam yn ei chynorthwyo i gerdded. Ac er mor falch roedd Dylan o weld ei fam, y person arall oedd wedi cymryd ei sylw. Nid Sanders oedd e, fel roedd Dylan wedi disgwyl, ond yn hytrach ei dad. Ac i bentyrru syndod ar ben syndod, yn ei law roedd yn cario cês lledr brown â strapen hir.

25

'AI DYMA beth y'ch chi'n chwilio amdano?'

'Dad!' galwodd Dylan.

'Shwd wyt ti, Dylan? A beth ydw i wedi dweud wrthot ti am gymysgu â phobl ddrwg?'

'Wel, wel, Paul Rees,' meddai Strachan, gan geisio gwthio'i law dde yn llechwraidd i mewn i'w got.

'Alistair,' meddai Paul Rees, gan bwyntio dau fys ato fel gwn. 'Fydden i ddim mor ffôl â gwneud hynny, pe bawn i'n ti.'

Gwenodd Strachan a thynnu ei law yn ôl a'i chodi i ddangos ei bod hi'n wag.

'Y'ch chi'ch dau'n adnabod eich gilydd?' gofynnodd Rebecca Groves.

'Dyma'r Capten Paul Rees,' meddai Strachan. 'Fe oedd yn gyfrifol fy mod i wedi gadael y fyddin yn gynnar.'

'O?' meddai Groves. 'Doeddwn i ddim yn sylweddoli hynny; roeddwn i'n meddwl dy fod wedi cael gyrfa lewyrchus, lân.'

'Alistair, wyt ti wedi bod yn dweud celwydd eto?' meddai Paul Rees.

'Camddealltwriaeth oedd y cyfan; ces i 'nghyhuddo ar gam, a bydde popeth wedi bod yn iawn pe bai hwn wedi dweud y gwir wrth y llys milwrol.'

'Ddwedes i'r gwir; ddim arna i mae'r bai nad oedd e'n cyd-fynd â dy fersiwn di o'r digwyddiade.'

'Hy!'

'Doeddet ti'n fawr o filwr ar y gore, oeddet ti, Alistair. Yn well tu ôl i ddesg nag allan yn y maes.'

'Dyw pawb ddim yn gwasanaethu 'run fath,' meddai Strachan, gan geisio'i gyfiawnhau ei hun.

'Ond ar ôl i ti gael dy anfon o'r fyddin â dy gynffon rhwng dy goese, doeddwn i ddim yn disgwyl dy weld byth eto,' meddai Paul Rees, gan arwain ei wraig at un o'r cadeiriau ar bwys y bwrdd a'i helpu i eistedd. 'Ond pan glywes i mai ti oedd yn gyfrifol am gwmni 3G, ro'n i'n gwybod y bydden ni'n dau'n cyfarfod eto, yn hwyr neu'n hwyrach.'

'Trueni na fyddet ti wedi meindio dy fusnes.'

'A dyna pam, pan ddaeth y fyddin i wybod bod 3G yn cymryd mantais o gyn-filwyr, y gwirfoddolais i a Martin Bowen i ymchwilio i'r cwmni.'

'Roedd Bowen yn dal yn y fyddin, oedd e?' meddai Strachan.

'Oedd.'

Crychodd Strachan ei drwyn. 'Ro'n i'n meddwl ei fod e o ddifri.'

'*Roedd* e o ddifri, Alistair, o ddifri eisie dy ddal di.'

'Wel, ry'n ni i gyd yn gwybod beth ddaeth o hynny, on'd y'n ni?'

'Ydyn. Ond llwyddodd Martin i gael digon o dystiolaeth yn dy erbyn ac fe wna i a chyfreithwyr y fyddin yn siŵr dy fod yn cael dy anfon i garchar.'

'Roeddech chi'ch dau'n ffrindiau, on'd oeddech chi?' meddai Strachan.

'Oedden.'

'Ond os oeddech chi'n gymaint o ffrindiau, pam nad oeddet ti yn ei angladd?'

'Ond mi oeddwn i.'

'O, na,' meddai Strachan, gan siglo'i fys a gwenu. 'Dwi'n gwybod nad oeddet ti yna. Mae gen i...'

'Fideo o'r angladd.'

'Ie, a dwyt ti ddim ynddo fe.'

'Dwi'n gwybod, ond dyw hynny ddim yn golygu nad oeddwn i yno. Bydde dyn yn disgwyl i dy ddynion fod yno'n ffilmio pawb o un o'r Jeeps du yna rwyt ti mor hoff ohonyn nhw...'

'A,' meddai Strachan, a'i wên yn lledu.

'Ond ddim y tro hwn. Y tro hwn roedden nhw'n cuddio mewn fan borffor rhyw gwmni carthffosiaeth. Priodol iawn.'

Diflannodd y wên o wyneb Alistair Strachan.

'Felly, fel dwedes i, dyw'r ffaith nad ydw i ar dy fideo ddim yn brawf nad oedden i yno.'

'Ond beth am y llyfr?' gofynnodd Dylan. 'Be sy gyda ti i'w wneud ag e?'

'Dim,' atebodd ei dad. 'Do'n i na Martin ddim yn gwybod am fodolaeth y llyfr pan ddechreuon ni ymchwilio i 3G. Rhywbeth ddaeth Martin ar ei draws yn ystod ei ymchwiliade oedd e ond ddwedodd e ddim byd wrth neb. Pe bawn i'n gwybod amdano fe, ac yn gwybod bod Alistair Strachan yn lladd pobl er mwyn ei gael e, fydden i ddim wedi gadael i ti fynd i aros gyda Martin dros y Nadolig. Ac i fod yn deg â Martin, dwi ddim yn credu y bydde fe wedi cytuno i ti aros gydag e pe bai e'n gwybod pa mor agos oedd Strachan a'i ddynion.'

'Mae hynny i gyd yn ddiddorol iawn,' meddai Rebecca Groves yn sych. 'Ond ai'r llyfr sy yn y cês yna?'

'Ie,' meddai Paul Rees, gan ei roi ar y bwrdd. 'Ai chi gyflogodd Alistair i ddod o hyd iddo?'

'Em,' meddai Groves yn freuddwydiol, ei llygaid wedi eu hoelio ar y cês. 'Ie, fi ac ambell un arall.'

'Felly ry'ch chi a nhw, yn ogystal ag Alistair, yn gyfrifol am farwolaeth Martin Bowen.'

Cododd Rebecca Groves ei llaw yn ddi-hid. 'Dwi'n meddwl mai "colledion damweiniol" y'ch chi filwyr yn galw marwolaethau fel hynny.'

'Doedd dim byd yn ddamweiniol ynglŷn ag e,' meddai Dylan, gan gofio amgylchiadau marwolaeth Martin Bowen.

'Wel mewn damwain fuodd e farw,' meddai Strachan â gwên, yr un mor ddi-hid o fywyd Martin Bowen. 'Felly...'

'A gyda chi oedd y llyfr drwy'r amser,' meddai Groves wrth Paul Rees. Roedd hi bron yn glafoerio wrth syllu ar y cês. 'Ro'n ni'n meddwl mai gyda'ch mab oedd e.'

'Gyda Dylan oedd e. Roedd Martin Bowen wedi ei roi e iddo i ofalu amdano, a dwi'n credu'i fod e wedi gwneud jobyn da iawn o hynny. A jobyn da o dy osgoi di a dy ddynion, Alistair, dros yr un awr ar hugain ddwetha.'

'Shwt o't ti'n gwybod ble o'n i wedi cuddio'r llyfr?' gofynnodd Dylan i'w dad.

'Dyfalu wnes i. Ro'n i'n gwybod bod Martin wedi ei anfon e atat ti cyn iddo gael ei ladd, a phan ddealles i nad oedd dynion Alistair wedi dod o hyd iddo fe yn y fflat, roedd yn rhaid dy fod ti wedi ei symud e i rywle diogel. Allen i ddim meddwl am unman mwy diogel na'r storfa lle aethon ni â'r bocsys.'

'Oeddet ti'n gwybod am y storfa 'ma?' gofynnodd Groves i Strachan.

Siglodd Strachan ei ben. 'Na.'

'A beth am berthynas y ddau yma? Mae'n amlwg dy fod yn adnabod y tad, ond beth am y mab? Oeddet ti'n gwybod bod Dylan yn fab iddo fe?'

Siglodd Strachan ei ben eto.

'Hy! Dwyt ti ddim yn gwybod llawer, wyt ti?' meddai Groves.

'Falle, ond un peth dwi *yn* gwybod yw ble mae'r llyfr nawr a phwy sy'n mynd i'w gael e.' A chyn i unrhyw un arall ymateb cydiodd Strachan yn y cês ac ar yr un pryd tynnu'r gwn allan o'r tu mewn i'w got.

26

'DA IAWN,' meddai Rebecca Groves, gan estyn ei llaw am y cês. 'Gymera i hwnna.'

'Na, dwi ddim yn meddwl,' meddai Strachan, gan roi strapen y cês dros ei ysgwydd chwith. 'Mae pethe wedi newid, Dr Groves, a dwi'n cytuno â'r bachgen, ry'ch chi'n berson llawer rhy beryglus i gael y llyfr. Dwi'n meddwl ei bod hi ond yn deg i roi cyfle i rywun arall ei gael e.'

'Am y pris iawn, mae'n siŵr,' cyhuddodd Rebecca Groves.

'Am y pris uchaf,' cywirodd Strachan.

'Ond fydd hynny'n ddim byd o'i gymharu â'r hyn fydd yn rhaid i ti ei dalu pan gei di dy ddal,' meddai Paul Rees, gan gamu i ffwrdd o'r bwrdd gyda'i wraig, a oedd yn pwyso arno.

'Bygythion gwag, Paul, dyna'r cyfan sy ar ôl gyda ti nawr. Heb lu o filwyr y tu ôl i ti dwyt ti'n ddim byd ond bygythion gwag.'

'Roedd gyda ni gytundeb,' meddai Rebecca Groves wrtho. 'Wyt ti'n mynd i'w dorri e?'

Gwenodd Strachan. 'Ydw, jyst fel roeddech chi ar fin ei wneud i'r cytundeb sy rhyngoch chi a phwy bynnag ry'ch chi wedi addo rhoi'r llyfr iddo.'

'Hy! Fydden i ddim yn breuddwydio…' protestiodd Groves.

'Na fyddech, wrth gwrs,' meddai Strachan, a oedd yn hen gyfarwydd â phrotestiadau ac addewidion Rebecca Groves. 'Ac os oedd y bachgen yn dweud y gwir bod eich merch wedi mynd i nôl yr heddlu, dwi'n credu ei bod hi'n hen bryd i fi adael. Paul,' meddai, gan arwyddo â'r gwn ar i dad Dylan symud allan o'i ffordd.

Ufuddhaodd Paul Rees, gan gamu at Dylan a rhoi ei law ar ei ysgwydd.

'Na,' meddai Strachan. 'Dyw hi ddim yn amser aduniad eto. Mae'r bachgen yn dod gyda fi. Dim ond am ychydig, er mwyn gwneud yn siŵr na fyddi di'n fy nilyn i.'

Siglodd Paul Rees ei ben. 'Na, dwi ddim yn meddwl.'

'Na?' meddai Strachan, gan estyn ei law dde a gosod y gwn yn ymyl pen mam Dylan.

Teimlodd Dylan afael ei dad yn tynhau ar ei ysgwydd.

'Na, Dad,' meddai. 'Mae popeth yn iawn; fe af i gydag e.'

'On'd yw e'n hen filwr bychan?' meddai Strachan yn wawdlyd. 'Wastad yn neud y peth iawn, jyst fel ei dad.'

Rhythodd Paul Rees yn dawel ar Strachan. Doedd dim rhaid iddo ddweud dim byd; roedd y bygythiad yn yr edrychiad yn ddigon.

'Dere 'ma,' gorchmynnodd Strachan i Dylan. 'Bydd popeth yn iawn, dim ond i ti neud yr hyn fydda i'n dweud wrthot ti. Ond os na fyddi di…wel, beth yw un corff arall ymhlith yr holl rai sy wedi marw o achos y llyfr 'ma.'

Tynnodd Strachan Dylan ato allan o lwybr y gwn a oedd yn ei anelu at Paul Rees.

'A dim byd dwl oddi wrthyt ti, chwaith, neu'r un fydd y canlyniad,' meddai Strachan wrth Paul Rees wrth iddo ef a Dylan adael yr ystafell wysg eu cefn.

Allan ar y landin gorchmynnodd Strachan i Dylan aros tra caeodd y drws a'i gloi.

'Ffordd hyn,' meddai wedyn, gan wthio Dylan o'i flaen i lawr y grisiau. Ond pan drodd Dylan at y drws ffrynt gafaelodd Strachan yn ei fraich a'i dynnu ar ei ôl i gyfeiriad cefn yr adeilad. Arweiniodd y ffordd drwy'r coridor tywyll i mewn i ystafell ac at ddrws y cefn.

'Dim sŵn pan fyddwn ni'n gadael,' meddai, gan bwnio'i fys ar frest Dylan i bwysleisio'i eiriau. 'Dwi ddim eisie i ti drio tynnu sylw atat dy hun mewn unrhyw ffordd. Y sŵn lleia ac fe fydda i'n dy dawelu ar unwaith.' A chododd Strachan y gwn i danlinellu ei fygythiad.

'Iawn,' meddai Strachan wrth iddo ddatgloi'r drws. 'Draw at y Jeep yn dawel.'

Y peth cyntaf a welodd Dylan pan agorodd Strachan y drws oedd car heddlu wedi ei barcio ar draws mynedfa'r iard gefn.

''Nôl!' gorchmynnodd Strachan. Ond yn ei frys i wthio Dylan i mewn i'r adeilad daliodd strapen y cês oedd dros ei ysgwydd yn nolen y drws, gan ei rwystro rhag ei gau. Dim ond am eiliad, ond roedd hynny'n ddigon i Dylan weld ei gyfle. Cydiodd yn arddwrn llaw dde Strachan â'i ddwy law a'i daro'n galed yn erbyn cornel y wal.

Daliodd Strachan ei afael yn y gwn tra straffaglai i ryddhau'r cês â'i law chwith. Parhaodd Dylan i fwrw'i arddwrn yn erbyn y wal ac roedd pob ergyd yn ei gwneud hi'n fwy anodd i Strachan dynnu'r strapen dros y ddolen.

'Gad fynd!' sgrechiodd Strachan. Ond anwybyddodd Dylan ef gan barhau i daro'i arddwrn yn erbyn y wal.

Gorfododd hynny i Strachan roi'r gorau i'w ymdrechion i ryddhau'r cês ac anelodd ergyd at Dylan â'i law chwith. Ond unwaith eto rhwystrwyd ef gan y strapen, a dim ond braidd gyffwrdd â phen Dylan wnaeth ei ddwrn. Ond wrth i'r strapen atal yr ergyd ac i Dylan daro'i arddwrn yn ddidrugaredd, gwanhaodd gafael Strachan ar y gwn ac fe'i gollyngodd.

Ar yr union eiliad y disgynnodd y gwn i'r llawr a sgrialu ar draws yr ystafell, llifodd golau cryf ar draws yr iard a thrwy'r drws agored. Bron cyn i Dylan a Strachan sylweddoli beth oedd yn digwydd dechreuodd rhywun weiddi gorchmynion drwy uchel-seinydd. Doedd Dylan ddim yn deall pob gair ond roedd yn siŵr mai dweud wrth Strachan i ildio oedden nhw.

Trodd Strachan ei ben i geisio gweld beth oedd allan yn yr iard, ond roedd y golau'n llawer rhy gryf iddo weld dim. Ac yna, wrth iddo wneud ei benderfyniad, llithrodd ei fraich chwith yn rhydd o strapen y cês a chaeodd y drws y tu ôl iddo. Roedd wedi colli'r cês ond roedd yn benderfynol nad oedd yn mynd i gael ei ddal.

Gwthiodd Strachan Dylan allan o'r ffordd

a rhuthro at ddrws yr ystafell a'r cyntedd tu hwnt. Ond roedd Dylan yr un mor benderfynol na fyddai'n dianc. Rhedodd ar ei ôl a'i daflu ei hun at ei goesau. Baglodd Strachan a disgyn ar ei wyneb.

Ceisiodd Strachan godi ond neidiodd Dylan ar ei gefn. Cydiodd yn ei fraich dde a'i gwthio i fyny'n galed ar hyd ei gefn gan ddefnyddio'i ben-glin i'w chadw'n dynn yn ei lle.

Stranciodd a stryffaglodd Alistair Strachan i'w ryddhau ei hun, ond yn ofer. Yno roedd e, ar ei hyd ar y llawr, a bachgen deuddeg mlwydd oed yn ei ddal yn gaeth, pan fyrstiodd yr heddlu i mewn i'r adeilad.

27

'YDYCH CHI'N gwybod pwy ydw i?' gofynnodd Rebecca Groves i'r arolygydd a arweiniodd y plismyn i mewn i'r ystafell. 'Ydych chi?'

'Nadw,' ochneidiodd yr arolygydd. 'Ond dwi'n siŵr eich bod chi'n mynd i ddweud wrtha i.'

Ac fe wnaeth. Ac roedd hi'n dal i chwythu bygythion, yn dal i fynnu ei hawliau ac yn dal i enwi nifer o bobl bwysig oedd yn ei hadnabod hi, hyd yn oed os nad oedd yr arolygydd, pan gyrhaeddodd Anna a Geraint Harris.

'Helô, Rebecca,' meddai Geraint Harris wrthi.

Pan glywodd Groves lais ei chyn-ŵr anghofiodd bopeth am yr arolygydd a throi ei sylw ato ef. Ond thalodd hi ddim sylw o gwbl i Anna; wnaeth hi ddim hyd yn oed edrych arni.

'Geraint, ai ti sy'n gyfrifol am hyn? Ai ti anfonodd am yr heddlu? Does dim hawl gyda nhw i fod yma. Swyddfeydd preifat cwmni preifat yw'r rhain.'

'Dwi'n gwybod, Rebecca, ond maen nhw a tithe wedi torri'r gyfraith a dyna pam mae Inspector Ryan yma.'

'Torri'r gyfraith? Paid â siarad dwli! Dwi'n gweithio i'r llywodraeth, ac os wyt ti'n gweithio i'r llywodraeth alli di ddim torri'r gyfraith. Ti *yw'r* gyfraith; mae pob plentyn ysgol yn gwybod hynny.' Ac yna sylwodd ar Dylan yn estyn gwydraid o ddŵr i'w fam. 'Gofynna i'r bachgen 'ma; wedith e wrthot ti.'

174

Nodiodd Geraint Harris yn amyneddgar ond ni ofynnodd y cwestiwn i Dylan. Ac eiliad yn ddiweddarach anghofiodd Rebecca Groves am Dylan, ei gŵr a phawb arall wrth iddi weld un o'r plismyn yn dod i mewn i'r ystafell yn cario'r cês lledr.

'Hei!' galwodd arno. 'Hei! Fi bia hwnna.' A dechreuodd gerdded ato i'w hawlio.

'Nage, Rebecca,' meddai Geraint Harris, gan afael yn ei braich. 'Ddim ti sy bia fe.'

'Wrth gwrs mai fi sy bia fe,' meddai, gan ysgwyd ei braich yn rhydd. 'Dwi'n deall dy gêm di'n iawn, Geraint. Dwi'n gwybod dy fod di am gael dy ddwylo ar y llyfr; mae e jyst y math o beth fyddet ti eisie'i gael er mwyn ei ddefnyddio fel patrwm i fyw dy fywyd. Ond beth yw gwerth peth fel'ny i unrhyw un? Dwi ddim eisie newid 'yn hunan; dwi'n hapus iawn â fi fy hun, diolch yn fawr iawn. Newid cymdeithas dwi eisie gwneud.'

'Newid pawb arall i fod yr un peth â ti.'

'Wel ie, pam lai? Be sy'n bod ar hynny? Does dim byd o'i le arna i. Dwi'n berson llwyddiannus; mae gen i swydd dda, swydd ddylanwadol, a dwi'n adnabod llawer iawn o bobl eraill sy'n llwyddiannus a dylanwadol –

fel mae'r plismon yma'n mynd i ddarganfod pan gaf i gyfle i wneud ambell alwad ffôn. Ond gyda'r llyfr hwn alla i wneud llawer mwy yn llawer cyflymach a bydd neb yn gallu tynnu'n groes i fi wedyn.'

'A beth am bawb arall?' gofynnodd Harris. 'Beth amdanyn *nhw*?'

'Does dim pwynt gofyn i bobl gyffredin beth maen *nhw* eisie. Dy'n nhw ddim yn gwybod beth maen nhw eisie o un diwrnod i'r llall. Dyna pam ry'n ni'n gorfod gwneud penderfyniade drostyn nhw. Newid pethe. Mentro ar bethe newydd. Falle byddan nhw'n gweithio, falle ddim, ond fe fyddwn ni wedi mentro, a dyna sy'n bwysig. Ond nawr bod y llyfr gyda ni byddwn ni'n gallu newid mwy o bethe a llwyddo'n fwy aml na methu.'

Siglodd Geraint Harris ei ben. 'Dwyt ti ddim yn deall, wyt ti? Nid dyna ddiben y llyfr. Dyw e ddim fel rhyw ffon hud y galli di nac unrhyw un arall ei ddefnyddio i'w dibenion eu hunain. Dysgu oddi wrtho fe ry'n ni fod i'w wneud.'

'Ie, ie,' wfftiodd Rebecca Groves yn ddiamynedd. 'Sawl gwaith o'r blaen dwi wedi clywed dwli fel'na gyda ti? Ac mae hynny'n dangos pam wyt ti'n gymaint o fethiant. Diolch byth 'mod i wedi sylweddoli hynny flynyddoedd yn ôl ac wedi mynd fy ffordd fy hun.'

'Mae'n ddrwg 'da fi dy fod ti'n meddwl hynny…' dechreuodd Geraint Harris, ond doedd Rebecca Groves ddim yn gwrando arno. Trwy gydol eu sgwrs roedd hi wedi bod yn cadw un llygad ar y cês lledr. Roedd y plismon wedi ei roi e i'r arolygydd, ac roedd yntau yn ei dro wedi ei roi i Paul Rees a oedd wedi ei roi i lawr ar y bwrdd ar bwys Dylan a oedd bellach yn chwarae â'r bwcl pres ar ei flaen. Yn ymwybodol neu beidio, gwthiai Dylan y tafod lledr yn ôl ac ymlaen drwy'r bwcl nes o'r diwedd roedd wedi ei wthio i'r pen ac roedd y cês wedi agor.

Yr eiliad gwelodd Rebecca Groves hynny rhuthrodd at Dylan a'i wthio naill ochr cyn agor y cês a thynnu'r llyfr allan. Heb wastraffu eiliad i edmygu cywreinrwydd yr addurniadau ar y clawr, agorodd ef.

Edrychodd Inspector Ryan ar Geraint Harris am arweiniad ynglŷn â sut i gael y llyfr 'nôl. Ond siglodd Harris ei ben i ddweud wrtho i adael iddi fod.

'Beth?' ebychodd Rebecca Groves, gan syllu'n hurt ar y tudalennau du. Ffliciodd yn ôl ac ymlaen drwy'r llyfr gan chwilio am rywbeth gwahanol, ond roedd pob tudalen, o'r gyntaf i'r olaf, yn union yr un peth; yn hollol, gyfan gwbl, ddu.

'Ai jôc yw hyn?' meddai, gan edrych yn wyllt o'i chwmpas o'r naill berson i'r llall a cheisio canfod pwy oedd wedi chwarae'r hen dric brwnt yma arni. 'Ddim hwn yw'r llyfr. Ble mae'r un iawn? Does dim byd yn hwn.'

'Oes,' meddai Dylan. 'Arhoswch.'

'Aros? Aros am beth?'

'Fe ddaw,' meddai Geraint Harris. 'Bydd yn amyneddgar ac fe gei di weld.'

'O ie, aros. Bydd yn amyneddgar. Fe ddaw. Pryd? Heno, yfory, wythnos nesa, blwyddyn nesa? Dwi ddim eisie aros. Pam ddylwn i aros? Dwi eisie gweld beth sy ynddo fe nawr!'

Ac edrychodd unwaith eto ar dudalennau'r llyfr. Ond gan nad oedd dim newid ynddyn nhw, caeodd y llyfr a'i daflu ar ben y cês lledr.

Cododd ei hysgwyddau. 'Dim byd. Dyw e'n ddim byd ond ofergoel, chwedl gwrach.'

'Na,' meddai Dylan. 'Mae'n wir.'

Ond doedd hi ddim yn gwrando. 'Yr holl waith, y cynllunio a'r gobeithio am *ddim*!'

Edrychodd o'i chwmpas ar y lleill o un i un. Yna sythodd ei hysgwyddau, tynnu ei siaced yn daclus o'i chwmpas, taflu ei sgarff sidan o liwiau glas, porffor a choch tywyll o gwmpas ei gwddf, a cherdded allan o'r ystafell. Aeth yr Arolygydd Ryan a'r plismon arall ar ei hôl, ac er nad oedd ei mam wedi edrych arni na'i chydnabod mewn unrhyw ffordd, dilynodd Anna hefyd.

'Pam na fydde hi wedi aros i'r llyfr newid?' gofynnodd Dylan i Geraint Harris.

'Dyw pawb ddim yn gallu aros,' meddai'n dawel, gan gydio yn y llyfr a'i roi'n ôl yn ofalus yn y cês. 'Mae rhai'n meddwl eu bod nhw'n rhy bwysig i aros. Ond ddylai neb ddod at y llyfr yn falch ac yn hunanbwysig.'

Roedd Dylan yn cytuno. Roedd e wedi profi hynny, ond eto…

'Ond allwch chi ddim dweud wrthyn nhw be sy yn y llyfr?' meddai Dylan. 'Disgrifio'r pethe ry'ch chi wedi'u gweld ynddo fe fel 'u bod nhw'n barod amdano fe?'

'Alli di drio,' meddai Harris. 'Ond er bod popeth rwyt ti'n 'i weld yn fyw ac yn real iawn i ti, mae'n anodd iawn i bobl eraill ei dderbyn; mae'n rhaid iddyn nhw ei weld e drostyn nhw'u hunain, a dyw hynny ddim wastad yn bosib.'

Cofiodd Dylan am ymateb Scott pan soniodd wrtho ef am ei brofiadau o agor y llyfr am y tro cyntaf. Un eiliad roedd e'n ymddangos fel petai'n credu Dylan, a'r eiliad nesaf roedd e'n ei gyhuddo o greu rhyw antur ffantasïol i argyhoeddi Scott ei fod e wedi cael gwyliau gwell na'i ffrind.

'Neu maen nhw'n *esgus* eu bod nhw'n deall,' meddai Geraint Harris. 'Ond dy'n nhw ddim mewn gwirionedd, a dy'n nhw ddim yn gallu parhau â'r twyll. Yn hwyr neu'n hwyrach maen nhw'n ei wrthod e ac yn troi yn dy erbyn di.'

Meddyliodd Dylan unwaith eto am Scott, ac am y sgwrs a gawson nhw yng nghegin ei rieni. Roedd hi'n ymddangos bod Scott yn ei gredu, ond yna ychydig oriau yn ddiweddarach roedd yn ei ffonio ef fel y gallai'r heddlu wrando ar eu sgwrs a gwybod ble roedd e.

'Falle daw amser pan fyddan nhw'n gweld ac yn deall, ond dyw hynny ddim lan i ti; alli di byth eu gorfodi na'u perswadio nhw. Dwi'n gwybod hynny.'

A daeth wyneb Rebecca Groves i feddwl Dylan. Roedd Geraint Harris, ac Anna, wedi dioddef fel yr oedd yntau, ond yn llawer llawer gwaeth.

28

ROEDD PEN Geraint Harris yn isel wrth iddo gerdded allan o'r ystafell. Cariai'r cês lledr o dan ei fraich dde ond roedd ei bwysau'n llawer trymach na'r llyfr oedd ynddo. Efallai fod bygythiad Alistair Strachan drosodd, ond doedd hwnnw ond y diweddaraf o nifer. Gwyddai Harris y byddai mwy yn dod eto wrth i eraill glywed am y llyfr a rhoi eu bryd ar ei feddiannu.

Dilynodd Dylan ei rieni i lawr y grisiau ac allan i'r stryd. Roedd ei fam yn dal yn wan ar ôl y cyffuriau roedd Strachan wedi eu rhoi iddi i'w chadw'n dawel a cherddai'n sigledig gan bwyso ar fraich ei dad.

Safai un plismon wrth ddrws yr adeilad i'w

warchod ond roedd pawb arall wedi gadael –
ar wahân i Anna, a eisteddai ar ei phen ei hun
ar y wal isel ger y stryd. Cerddodd ei thad ati
a byddai Dylan hefyd wedi hoffi mynd i siarad
â hi, ond penderfynodd adael llonydd i'r ddau.
Roedd e wedi cael ei fam yn ôl ond roedd
Anna wedi colli ei mam unwaith eto.

Edrychodd Dylan i fyny ac i lawr y
stryd. Roedd pobman yn dawel, a dim ond
sŵn ambell gar yn y pellter yn torri ar y
distawrwydd. Ar ôl prysurdeb y Nadolig a'r
flwyddyn newydd, roedd hi fel petai pawb
wedi cael digon ar ddathlu a phartio ac wedi
aros gartre. Doedd Dylan ddim yn cofio'r
ddinas mor dawel, mor agored, mor glòs.
Teimlai fel petai popeth wedi ei ganoli arnyn
nhw; y byd i gyd yn cael ei gywasgu i un lle, i
un amser.

Amser.

Edrychodd ar ei oriawr. Roedd hi'n ddeng
munud i un ar ddeg. Pedair awr ar hugain
union ers i Strachan ei ffonio.

'*Ugly, lovely town*,' meddai ei dad yn dawel
yn ei ymyl wrth iddo yntau edrych allan ar y
nos. Roedd Dylan yn gwybod mai dyfynnu
geiriau Dylan Thomas oedd e, ac er nad oedd

Dylan ei hun yn ddigon cyfarwydd â gwaith y bardd i'w ddyfynnu, roedd ef hefyd am ddal yr eiliad.

'Nos Sadwrn Abertawe, 'co ni'n mynd, 'co ni'n mynd, 'co ni'n mynd,' meddai, gan ddyfynnu geiriau cân o un o'r CDs roedd ei dad wedi arfer eu chwarae yn y car.

Chwarddodd Paul Rees, gan daro Dylan yn ysgafn ar ei gefn. 'Wel,' gofynnodd iddo. 'Wyt ti'n barod i fynd?'

'Mynd i ble?'

'I unrhyw le. Nawr bod Alistair Strachan wedi cael ei arestio bydd gweithgaredd 3G yn dod i ben, ac mae fy amser i gyda'r fyddin hefyd yn gorffen. Sy'n golygu 'mod i'n rhydd i fynd i unrhyw le dwi moyn. Felly, i ble hoffet ti fynd?'

Cododd Dylan ei ysgwyddau. Abertawe oedd ei gartref, y lle roedd e wedi byw ynddo hiraf. Cyn hynny roedd ef a'i rieni wedi symud i ble bynnag roedd y fyddin wedi anfon ei dad. Byddai'n siŵr o deimlo'n rhyfedd yn byw rywle arall, ond eto efallai ei bod hi'n amser iddyn nhw symud.

Beth oedd i'w gadw yn Abertawe? Roedd ei berthynas â Scott, ei unig ffrind, yn bendant wedi newid a byddai'n anodd iddyn nhw ailadeiladu'r berthynas. Trystio'i gilydd eto. Ac os na allai drystio'i ffrind…

Edrychodd i gyfeiriad Geraint Harris ac Anna. Os oedd Scott wedi ei siomi, roedd Anna wedi gwneud mwy nag y gallai ei ddisgwyl gan unrhyw ffrind. Roedd hi hyd yn oed wedi mentro'i bywyd i'w atal rhag cael ei ddal gan Alistair Strachan. A hyd yn oed ar ôl y ddamwain roedd hi wedi bod yn barod i yrru o gwmpas y ddinas yn chwilio amdano er mwyn ei gadw'n ddiogel rhag dynion Strachan.

Wrth iddo feddwl am hynny cofiodd Dylan rywbeth roedd ei dad wedi'i ddweud yn gynharach a gofynnodd, 'Shwd o'ch chi'n gwybod bod dynion 3G wedi bod ar fy ôl i ers neithiwr a 'mod i wedi llwyddo i'w hosgoi nhw?'

'Am fy mod i wedi dy weld di'n 'u hosgoi nhw.'

''Y ngweld i?' gofynnodd Dylan yn syn. 'Pryd welest ti fi?

'Neithiwr. Heddi. Sawl gwaith i gyd.'

'Ond sut? Ble? Pryd?'

Gwenodd ei dad o weld y syndod yn lledu ar draws wyneb Dylan a gwyddai ei bod hi'n amser iddo esbonio rhai pethau.

'Ro'n i ar y ffordd i'r maes awyr i ddychwelyd i'r Almaen pan gysylltodd y swyddog sy'n ymchwilio i farwolaeth Martin Bowen â fi i ddweud bod Martin wedi anfon y llyfr atat ti. Pe bawn i'n gwybod hynny pan weles i ti fe fydden i wedi gwneud yn siŵr dy fod ti a dy fam yn ddiogel, a chan 'mod i'n gwybod hynny bellach allen i ddim dy adael i ddelio ag Alistair ar dy ben dy hun. Felly des i 'nôl i Abertawe. Ond erbyn hynny roedd Alistair wedi cipio dy fam a lladd y dyn yn y fflat. Doedd gen i ddim syniad lle oeddet ti, a phan ddealles i fod yr heddlu'n chwilio amdanat ti, dilynes i nhw. Felly yn ogystal ag osgoi dynion Alistair a'r heddlu, fe wnest ti waith da iawn o'n osgoi innau hefyd, er i fi ddod o fewn hyd braich i ti sawl tro.'

'Pryd oedd hyn...?' dechreuodd Dylan, gan geisio cofio digwyddiadau'r diwrnod pan oedd yn ceisio osgoi ceir yr heddlu a Jeeps 3G, a'r holl amser roedd ei dad yn chwilio amdano ar hyd strydoedd y ddinas...'Ti oedd yn y car gwyn!'

'Ie.'

'Weles i'r car, ond do'n i ddim yn gwybod mai ti oedd yn ei yrru.'

'Bues i bron â chanu'r corn arnat ti i dynnu dy sylw ond roedd yr heddlu'n rhy agos i fi fentro gwneud hynny. Ac fe allen nhw ddal i fod yn beryglus,' meddai Paul Rees, gan edrych o'i amgylch, 'os arhoswn ni fan hyn yn rhy hir.'

'I ble ewch chi?' gofynnodd Geraint Harris a oedd yn cerdded tuag atyn nhw a'i fraich am ysgwyddau Anna ac wedi clywed geiriau olaf Paul Rees.

'Dwi ddim yn gwybod. Allwn ni ddim mynd 'nôl i'r fflat, beth bynnag. Bydd yr heddlu yno'n cadw llygad ar y lle rhag ofn bydd Dylan yn dychwelyd.'

Nodiodd Geraint Harris. 'Dwi'n gwybod y bydd Inspector Ryan yn gwneud yn siŵr fod yr achos yn erbyn Dylan yn cael ei ollwng, ond dwi'n ofni bydd yn cymryd ychydig o amser iddo wneud hynny.'

'Bydd,' cytunodd tad Dylan. 'A dwi'n ofni na fydd y cyfan drosodd hyd yn oed wedyn.'

'Na fydd,' meddai Harris. 'Nid Strachan a Rebecca yw'r unig rai sy'n gyfrifol am y llofruddiaethau, a bydd pwy bynnag oedd am gael gafael ar y llyfr yn nerfus iawn nawr ac yn barod i wneud unrhyw beth i gael gwared â'r prif dyst yn eu herbyn.'

'Sef Dylan.'

'Ie.'

'Felly does fawr ddim wedi newid,' meddai Paul Rees.

'Nagoes, dwi'n ofni. Ac yn y cyfamser...'

'Bydd rhaid gadael Abertawe.'

Gadael Abertawe. Mae rhywbeth yn y gwrych, meddai Dylan wrtho'i hun, gan gofio geiriau un arall o ganeuon y car. Ai fel'na fyddai pethau o hyn ymlaen? Cadw golwg dros ei ysgwydd ac amau pawb?

'Os nad oes gyda chi rywle pendant i fynd iddo, allwch chi ddod i aros gyda ni,' meddai Anna.

Cofiodd Dylan am awyrgylch gynnes, gartrefol y tŷ pan aeth Anna ag ef yno. Dechreuodd ei holl ddychmygion a'r bygythion chwalu wrth iddo feddwl am y lle.

'Wel ie, wrth gwrs,' meddai Geraint Harris, cyn ychwanegu, 'Er, dwi'n amau a fyddwn ni'n aros yno lawer hirach chwaith.'

'Diolch am y cynnig,' meddai Paul Rees. 'Ond dwi'n credu y dylen ni fynd ychydig ymhellach tra bo cyfle gyda ni.'

'I ble?' gofynnodd Dylan.

'Beth am Fanceinion?' awgrymodd ei dad.

'Addawes i y bydden ni'n mynd yno rywbryd yn y flwyddyn newydd. Wel pam ddim nawr?'

'Iawn,' meddai Dylan. 'A Mam?'

'Wrth gwrs 'ny. Falle y byddwn ni'n gallu cytuno'n well nawr 'mod i'n gadael y fyddin.'

Nodiodd Dylan, ond yna daeth cwmwl drosto. 'Allwn ni ddim mynd i Fanceinion,' meddai.

'O?' meddai ei dad. 'Pam?'

'Maen nhw'n gwybod am Fanceinion. Ddwedes i wrth Craig 'mod i'n mynd yno atat ti, a dyna pam o'n i am iddo fe ddod ag arian i KFC.'

'Ewn ni i rywle arall, 'te,' meddai ei dad.

'A beth am y llyfr?' gofynnodd Dylan i Geraint Harris. 'Pwy fydd yn gofalu am hwnnw?'

'Bydd llygaid nifer o bobl ar Abertawe nawr, a gynta i gyd gorau i gyd y bydd e ymhell i ffwrdd oddi yma. Dyna pam bydd rhaid i ni symud. Dim ond un bennod yn hanes y llyfr yw hyn. Pwy a ŵyr beth fydd y bennod nesa a phwy fydd yn chwarae rhan ynddi.'

Syllodd Dylan yn hiraethus ar y cês o dan gesail Geraint Harris. A fyddai e'n cael cyfle arall rywbryd eto i'w agor a gweld ei gynnwys yn dod yn fyw? Neu ai profiad unwaith mewn oes roedd e wedi ei gael?

Cerddodd y pump ohonyn nhw allan i'r stryd; Anna a'i thad at eu car nhw i ddychwelyd i Fro Gŵyr, efallai am y tro olaf, a Dylan a'i rieni i Fanceinion ac yna i…a gwenodd Dylan wrth iddyn nhw groesi'r ffordd i ble roedd y car gwyn wedi parcio.

Fry uwch eu pennau, uwchben Abertawe, uwchben golau'r ddinas, ar draws yr awyr ddu, holltwyd y tywyllwch gan belydr pur o olau llachar, yn union fel petai adain aderyn wedi ei rhwygo.